新潮文庫

雪屋のロッスさん

いしいしんじ著

目次

雪屋のロッスさん

1　なぞタクシーのヤリ・ヘンムレン

ヤリ・ヘンムレン氏は四十二歳。年代物の輸入車を使って、長らくタクシーの個人営業をしています。仲間うちや、商工会議所のひとびとから、「なぞタクシー」と呼ばれるようになったのは、彼独特の乗務サービスに、その理由がありました。

夜の街路。毛皮コートのお客が白い息をつきながら片手を振っている。横付けされたタクシーに、手をこすりこすり乗り込み、行き先を告げます。タクシーはおだやかに走り出す。やがて、最初の信号で停まったとき、ヤリ・ヘンムレン氏はにこやかに振り向き、

「背高巨人の帽子になる。元気なお子の人形になる。鹿《しか》やいたちの喉《のど》をもうるおす」

一拍間をおいて、

「これ、なあんだ?」

お客は呆気《あっけ》にとられます。ヤリは口笛を鳴らし、悠々とハンドルをたぐっている。目的地につくと、お客は苦笑し、

「さっきのは、ありゃなんだね」

「雪でさあ、ご主人」

釣り銭とともに目配せを送り、

「今夜はいっそう寒くなりそうだ。コートの襟はぴっちり閉めといたほうがいい。お気をつけて、ご主人」

車を降りると粉雪が降りはじめている。歩き出した客は、うっすらと微笑《ほほえ》みながら、家で待つ連れ合いに、ひとつこのなぞなぞを出してやろうか、と考えている。

どんなお客相手にも、ヤリは必ずなぞをかけました。距離や天候、お客の態度などから即興でなぞなぞをつくり、降車時に、答えをあかすのです。途中で正解が出れば、派手派手しくクラクションを鳴らし、ダッシュボードに詰めた、キャンディや造花など、ささやかな景品を手渡します。

「赤い友達、鉄面皮。握手は大怪我《おおけが》、なあんだ」（答えは「蟹《かに》」）

「ぜったい笑わない、強面《こわもて》のめがね爺《じい》さん。なぜか国じゅうの人気者。なあんだ」

(答えは「二十マルカ札」)

ヤリははじめから、「なぞタクシー」をやっていたわけではありません。十五年前、奥さんを肺炎で亡《な》くすまで、ごく普通の、実直で無口な運転手だった。喪が明けて仕事に戻ると、誰彼問わず、なぞなぞを出すようになっていた。訝《いぶか》しんでいた同業者も、やがて静かな笑みをもって、彼の奇癖を受け入れました。誕生日には、ヤリのボンネットに、黄色い塗料で？マークを描きこんでもやった。

お客を乗せていないとき、ヤリはいつも車をゆっくりと走らせ、街路の光景に、たんねんに目を配っています。ぼろをまとい、凍った路地でうずくまる老人。たき火の向こうで、拳《こぶし》をふりあげ、口論しあう若者の群れ。この世の果てにあいた穴のような目つきで、力無く客を引く夜の女たち。

「なんだろうか、これは」

ヤリはハンドルを握りしめひとりごちる。

「いったい、これはなんなのだろう」

車窓を流れゆく光景を見つめながら、ヤリは考えを凝らします。そのうち胸の奥に、黒ずんだ綿のかたまりを、詰めこまれたような気分になってくる。路肩で誰かが手を挙げています。ヤリはすばやく車を寄せる。行き先を聞き、アクセルを踏んで、最初に停まった交差点で朗らかに笑いかける。

「目んたま三個、足八本。ふわふわの尾が二本、なあんだ」(答えは「子猫をくわえた気の荒い母猫」)

ある冬の午後、ヤリ・ヘンムレンは街はずれの農道でお客を拾いました。漆黒のコートに革手袋。座席に深くすわり、つば広帽の頭を一切あげません。行き先はいわず、とにかくまっすぐに行くよう、男はいいました。ミラーに写る青白い顔はまるで、頬をナイフで削りとったかのようです。

「ねえ、お客さん」

つとめて明るく、ヤリは声をかける。

「この世のみんながかぶってる。なのに誰も気づいちゃいない、大きな帽子は、なあんだ」

「空だろう」

男は陰鬱《いんうつ》な声でつぶやきます。

「こりゃ、お見それしました」

ヤリは照れくさげにハンドルを叩《たた》き、ダッシュボードのボンボンを差し出す。男は首を振った。それきり沈黙がつづきます。男の風体には、どこか相手を黙らしめる雰囲気がありました。タクシーはやがて、市街地へとはいっていきました。何度目かの信号で、男はミラー越しに、ヤリの視線をまっすぐ見返し、

「区別がない。男も女も、子どもも、年寄りも。いっさいの、分け隔てがない」

片頬をゆっくりとあげていいます。ヤリは冷たい背中をシートに押しあてました。

「お客さん……」

「薄暗い木箱にはいってな。白い布きれを乗せるんだ。そうして火が燃やされる。お前さん、それがなんだか知っているだろう」

ヤリは答えられませんでした。繁華街の交差点で、男は金を払い、雑踏に消えました。黒ずんだかたまりが、胸のなかでふくれていく。それはヤリのなかで、いくつもの見覚えのあるかたちをとる。横たわる妻の顔。炭坑から掘り出された父のからだ。海辺の寒村にいまもひとり住まう、頭巾《ずきん》をかぶった老母の横顔。

かたまりを払うように、アクセルを踏み込んだそこへ、性急な左折車が突っ込んできました。タクシーはくるくると回転し、後続のトラックに当てられ、信号にぶつかって停まりました。車体は半ばで真っ二つに折れていました。額から血を流し、昏倒《こんとう》するヤリの真正面に、ねじまがった？マークのボンネットが壁のように立ちはだか

っていました。

　幸い命は助かり、目撃証言から、免許も取り上げられずにすみましたが、誰が見舞いにこようが、ヤリはうっすら微笑むだけで、なぞなぞはもちろん、ひと声さえあげようとしません。反射テストをしても、べつだん後遺症はないようです。ただ、仕事に戻ったヤリ・ヘンムレンの姿には、同業者の誰もが、頭がどうかなったらしいと眉《まゆ》をひそめずにはいられなかった。まる一日、客をひとりも乗せずに、街じゅうをただひたすら、走り回っているばかりなのです。

　疲れたらシートを倒し目を閉じる。公園でからだを拭《ふ》き、食事は三度とも車中でとる。ほとんどタクシーから降りません。空車の表示札はずっと隠されたままです。

　事故から三月後、たき火を囲む老人たちと、さほど変わらない風体になったヤリ・ヘンムレンは、公園墓地の入り口で、ようやくあの男を見つけました。車をぴったり寄せる。男は肩をすくめ、にやにやと笑いながら乗りこんできます。ゆっくりとハンドルを回しまわし、ヤリはおよそ百日ぶりに口をききました。

「あんたが誰で、どういう生業《なりわい》のひとか、おれにはわからんけど」

　男は鏡のなかで顎《あご》をさわっています。

「なぞなぞってのはさ、相手の気を紛らしたり、笑わせたりするためにするもんだよ。

陰気にさせたり、考え込ませるためじゃないんだ。まちがった答えや、陳腐な文句でも、笑っていられりゃそれでいい。この世の真理とか、動かしがたい事実だなんて、なぞなぞにはまるで関係がねえんだ」

「そうかね」

男はおかしげにいった。

「で、答えはなんだと思うね」

「むろんサウナだ。みんな素っ裸でワイワイはいる、田舎のサウナだよ」

「なるほど」

男は唇の端を引きあげ、

「たしかに、これ以上ないくらい陳腐な答えだ」

「おふくろだってそういうだろう」

ヤリはにこやかにいいました。

「そして、おれの尻《しり》を叩いて、いいから早くはいってきなと怒鳴るだろう」

男は駅舎の前で降り、前と同じように人混みに消えました。入れかわるように、ひげ面《づら》の紳士がふたりどやどやと乗り込んできて、競馬場まで、と告げました。ヤリ・ヘンムレンは最初の信号で横顔を向け、

「大きな闇《やみ》で、中くらいの闇が、ちびの闇をのみこんだ。これ、なあんだ」

と悪戯《いたずら》っぽくたずねました。

2 調律師のるみ子さん

三十八歳になる調律師のるみ子さんは、依頼されたピアノのチューニングを、いつも一音、わずかだけ外しておきます。

鍵盤《けんばん》中央のA音。客にはまったく聞き分けられないほどほんのわずか。仕事が終わると、まあ、まるで新品にでもなったみたい、客は晴れやかな笑みで、るみ子さんの手をとろうとする。そしてはっとします。手袋をはずしたるみ子さんの右手には、ひとさし指となか指がありません。るみ子さんは腰をかがめ、時計の針のようなお辞儀をすると、道具かばんを提げて玄関を出て行きます。

事故に遭う前から、るみ子さんの耳は評判だった。音楽大学の発表会で、ピアノ曲の演奏途中、突然曲をやめ、黙々と調律をはじめたことがあります。十年前に手指を失い、調律師の職に就きました。ピアノを置く家は、以前とくらべ少なくはなりましたが、仕事の注文が途絶えることはありませんでした。穏やかそうな容貌《ようぼう》とたしかな耳、そして、「いつの間にかまた調整が必要となる」ピアノのチューニングのおかげだったといえます。

とある週末、紹介をうけて、街はずれの邸宅を訪ねました。まるで公園のようにえんえんと塀がつづき、やっとたどりついた玄関には、白髪の小柄な老人がひとり、黙りこくって立っていました。口を結んだまま廊下を進み、じゅうたん敷きの居間に入ると、年季のはいったグランドピアノを指さします。るみ子さんはひとつうなずくと音叉《おんさ》を出し、調律をはじめました。老人は杖《つえ》を突き、居間を出たり入ったりしています。どうやら目がほとんど見えないようです。

三十分ほど経《た》ったでしょうか、るみ子さんは老人を振り向き、

「終わりました」

と声をかけました。老人は立ち止まり、

「あなた、ご冗談でしょう?」

とこたえました。

「ぜんぜん音がちがっていますよ」

るみ子さんは頬を打たれたような表情になり、今度は慎重に、きわめて念入りに音

を合わせました。鍵盤中央のA音もです。

「これでいかがでしょうか」

「お話になりませんな」

老人は細い肩をすくめていいました。

「腕のいい方と伺っていましたが、どうやらなにか手違いがあったらしい。ピアノはそのままにして、どうぞお帰りください。時間分の手間賃はお支払いしますから」

「でも」

るみ子さんは真っ赤になって、

「音は全部合っていますよ」

「そういう問題じゃない」

老人は首を振って、

「これじゃあピアノがかわいそうです。あなたは本当のところ、ピアノのことが、あまりお好きではないようですね」

憤然として、るみ子さんは帰ります。それから何日も雨がつづきました。仕事に出てもピアノの音が、なんだかくぐもって聞こえます。首根っこが重く、食欲もない。るみ子さんは三件つづけて注文を断りました。屋根をぽつぽつと叩《たた》く雨音が家じゅうに響きます。

薄曇りの夕方、洗濯物を取り込んでいるときドアベルが鳴りました。郵便配達が、請求書の束と小包をひとつ、るみ子さんに手渡します。小包の差出人には見覚えがない。包装紙を破るとなにやら香ばしい匂《にお》いが漂ってきます。添えられた手紙を開いた途端、るみ子さんは大きく息をのみました。

十年前のお礼から、その手紙ははじまっていました。あの転覆した電車のなかで、見ず知らずのあなたに助けていただいて、まだ小学生だった私は、ろくにお礼もいえませんでした。お怪我《けが》はだいじょうぶだったでしょうか。私のやけどはその後なんとか安定し、今年の春、調理師の免状をいただくことができました。ゆうべチョコレートケーキを焼きました。いま私ができるせめてものお礼です。スポンジのつなぎにちょっぴり工夫を凝らしてあります。これから新作ができるたびお届けしようと思います。もしご迷惑ならば二度とお送りはしません。ほんとうに、ほんとうにありがとうございました。

るみ子さんは手紙をとじ、ケーキを冷蔵庫にしまいました。元来、甘いものが好きではないのです。夜中になっても寝付けず、るみ子さんはステレオの前に座り、古いレコードをとりだしました。学生のころよく聞いたピアノソナタ。一枚が終わると、また別のレコードをかけました。ひさしぶりに聞くその音は、以前と同じく、きらきらと光を振りまくように聞こえました。それでいて、どの演奏のピアノも、すべて、それぞれがちがう輝きを放っているのでした。三枚目をかける前、るみ子さんは冷蔵庫をあけ、チョコレートケーキをつまみました。四枚目、五枚目とかけているうち、窓から朝日が覗《のぞ》きました。皿のケーキは半分以上なくなっていました。

お昼過ぎ、道具箱をもって、例の邸宅をまた訪ねます。目の見えない老人は少し驚いたようでしたが、何もいわず、るみ子さんを居間へと通しました。るみ子さんはピアノの前からかがみこみ、音を合わせはじめました。他のピアノにはない響き、それぞれの音が見せる表情を、一瞬でも聞き逃すまいと息をひそめて。ピアノのささやきは、はじめはおずおずと、そのうち大胆に、彼女の耳に流れこんできました。

やがてるみ子さんが、最後のA音をポロンとはじくと、老人は朗らかな声で、

「ああ、うちの音だ、やっとうちのピアノの音になった！」

視力のない目に深い笑みを浮かべて、

「あなたはまったくすばらしい腕ですね。もしよろしければ、なにか一曲、聞かせていただくわけにはまいりませんか？」

るみ子さんは軽くうなずきました。そして指の足りない両手で、子ども時分に習っ

た短い練習曲を、軽やかに奏《かな》ではじめました。

3

大泥棒の前田さん

前田さんは一見めだたない風貌《ふうぼう》ですが、実は世界一の大泥棒です。彼の秘密の倉庫には、この世のありとあらゆる物品が整然と並べられてある。警察の泥棒リストにもいちばんてっぺんに名前が出ています。ただの泥棒ではなく、なにしろ大泥棒ですから、これまでつかまったことはありません。警察のほうでもあきらめてしまっていて、祭りの晩、金持ちが真っ青な顔でかけこんできたりすると、

「あきらめなさい」

と苦笑しながらいうのです。

「おそらく前田さんのしわざだ。世界一の腕だから、なにしろ私たちにはどうしようもないのだよ」

前田さんの自宅はずいぶん質素です。築三十年の平屋にひとりで住んでいます。こ

こしばらく前田さんは憂鬱《ゆううつ》でした。この世のありとあらゆるものを盗んでしまったので、もう彼には、世界一の腕前をふるう仕事が、残っていないように思われました。

「ああ、つまらないなあ」

六畳間に寝ころび、天井の節目を数えながら、前田さんはひとりごちます。

「俺の腕が、もう少し鈍ったとしたら、ひと仕事の苦労も味わえようものだが」

ひと月前、前田さんは白昼堂々、動物園からきりんを三頭盗み、翌日また檻《おり》に返しておきました。飼育係も気づかないうちにです。

「盗むものがないなんて、この世で泥棒やってる甲斐《かい》がない。いないのとおんなじだよ」

くさくさしているといっそう気がめいります。前田さんはすいと立ち上がり、地味で仕立てのいい上着を羽織ります。鏡もなしに片手でするするとネクタイを結ぶ。

市場へつづく大通りをいくと、毛皮を着た老夫婦が信号待ちをしています。彼女は前田さんに気づき深々と黙礼をします。前田さんは表ではこの街の名士なのです。

「奥様、おひさしぶりです」

前田さんは声をかけます。

「少々うかがいたいのですが、奥様にとり、この世でいちばん大切な、ぜったいに盗《と》られたくないものとは、いったい何ですか？」

「そりゃあ、もちろん、うちの柱時計ですわ」

奥さんは真っ赤な唇を曲げていいます。

「曾祖父《そうそふ》の代から伝わる、あれはたいへんな値打ちのものなのですから」

前田さんはほほえみながら内心舌をうちます。その柱時計なら、五年ほど前に盗み出し、にせものとすりかえておいたのです。

市場の横に小学校があります。下校途中の生徒たちが、わあ、前田さん、前田さんだ、と駆けよってきます。前田さんはききます。

「君たち、ぜったいに盗られちゃ困るものを、なにかうちに持っているかい？」

一斉に声が返ります。人形、お手玉、望遠鏡、その他いろいろ。前田さんは内心がっくりとうなだれます。これまで盗んだことのないものなど、ただのひとつもありませんでした。

市場を抜けたところの銀行で、強盗騒ぎが起きていました。犯人は人質をとってなかへ立てこもっている。刑事部長が前田さんに気づき、帽子をとっておじぎをします。

「わかりましたよ」

前田さんはうなずく。これまで何度も頼まれたことがありますし、こうした無粋な泥棒はいつだって気にくわない。部長に上着をあずけ、銀行の裏手に回ります。前田さんが人質を「盗み出して」くるまで、十分とかかりませんでした。警官隊が突入します。

「ああ、退屈だなあ！」

公園のベンチで大きく手を広げたとき、ゴミ箱をあさるこじきに気づきました。なんて臭いのでしょう。泥土を転がったように全身ぐしょぐしょで、大事そうに革袋を胸にかかえています。前田さんは笑い、ねえ、爺《じい》さん、と声をかけました。

「爺さんにとって、いちばん盗まれちゃたいへんだってものは、いったいなんだね」

こじきはゆっくりと顔を向け、

「そんなものはないね」

と答えました。

「何を盗まれようが、たいして困らん」

前田さんは少しむっとし、

「その革袋はどうだい」

「ああ、こいつの中身は、ただの石ころさ」

こじきはがさがさと袋を振って、

「枕《まくら》の代わりだよ。なくなりゃまた作る」

前田さんの顔は真っ青になりました。唇をかたく閉じ、こじきの仕草をじっと見ています。やがてこじきがふりむいたとき、

「俺は大泥棒だ。あんたから、これまで盗んだこともないものを、絶対に盗んでやるぞ」

こじきはきょとんとしています。

翌朝こじきは目覚めます。布団《ふとん》の上です。天井の節目が見えます。どこだここは。奥のふすまがあき、男がはいってきます。男は自分そっくりの顔をしていた。おはよう、と男はいって金むくの鏡を向けます。

「あんたのからだをいただいた。今日から俺はあんただ。あんたは俺だ。好きなだけここにいればいい。金だって使い放題だ。いやになれば公園においでよ。からだを返すから」

元こじきはうなずきます。その日からのんびり暮らしはじめ、近所づきあいにも慣れました。自分が以前こじきであったことなど、いつの間にか忘れてしまいました。

元前田さんのこじきは、嬉々《きき》として仕事に励みました。ほうぼうの家から宝を盗み、こじき仲間にすべて配ってやります。ある年の冬運悪く捕まりました（こじきのから

だはずいぶんガタがきていた)。北国の刑務所のなかから、どこで手にいれたものかスキー板をはいて、大ジャンプで逃げ出したといいます。

4

棺桶セールスマンのスミッツ氏

アルバート・スミッツ氏は、業界でも名の知れた棺桶《かんおけ》のセールスマンです。鉄鋼業で栄えた北の街に、妻と娘の三人で、ひっそりと暮らしています。

仕事のすすめかたは、昔ながらのオーソドックスなものでした。が、彼の場合、その精確さで同業者を圧倒していました。誰よりも早く遺族のもとへかけつけ、その場に自然になじみ、いつのまにか注文をとりつけてしまいます。口の悪い同業者のなかでは、「スミティは黒いホットラインをもっている」という冗談がしばしばささやかれてきました。直通回線が、死神の執務室にひかれている、というわけです。

妻ハンナは、長らく肺をわずらっていました。寝台に横たわったままもう五年。ときどき起きあがって、むしゃむしゃミルクパンをたべます。娘のソニヤは毎朝、枕元《まくらもと》のバラをとりかえ、父のスーツにブラシを当てます。

「おとうさん、今日はこの色？」

「ああ」

真っ黒いスーツを、スミッツ氏は仕事に用いません。濃い灰色のものを三着、薄いものを二着つかいまわしています。真っ黒いかっこうは、近しい誰かをたったいま亡《な》くしたばかりのひとにけして歓迎されないからです。むろん灰色でも歓迎はされませんが、それでも真っ黒よりはうんとましです。

「早く帰ってね。今夜は子牛を焼くから」

「そりゃあ豪勢だね」

スミッツ氏は娘にキスをし、寝床で休む妻の額にも口づけると、帽子をかぶって仕事へとでかけます。ソニヤはミルクをわかし、やわらかなパンをなかへ浸す。ラジオをつけると母ハンナは薄目をあけ、ソニヤの知らない古い歌をかすかな声で口ずさみます。

スミッツ氏が、葬儀屋からの知らせを事務所でのんびり待っていることはありません。おもな仕事場は、市に点在する病院の暗い廊下です。古参の看護婦長や調理師から、入院患者の病状を、事前に調べておくのです。遺族がハンカチで顔をおさえ、互いに肩を抱き合っている。スミッツ氏は廊下の隅でその様子をみつめています。そして、ふと緊張がほどけた瞬間、まるで絹の上を歩くようなしずかな歩調で、顔をうつむけまっすぐに近づいていく。

彼のあつかう棺桶は、すべてオーダーメイド品です。遺族の身なりから、すばやく家計を判断すると、それにみあったカタログを革かばんからとりだします（写真でなく、彼の描いた水彩画）。すすめを断られることは、滅多にありませんでした。注文をもらうとすぐ工場へ電話します。六時間後には、寸法のあった品が遺族のもとへ届けられます。

棺桶業界も日々技術革新がなされ、たとえば最近では、アルミ合金の新素材を使った、ゆるやかな流線型をなすものなどが登場しました。細菌やバクテリアの侵入をこばみ、なかの遺体はこれまでになく長持ちします。高級自動車のボディをつくる、同じ工場ラインで、この棺桶は製造されています。ただ、割高にもなるので、スミッツ氏がこれをすすめるのは、市の高台に住む、一握りのひとびとに限られていました。

「わたしなら、棺桶はいりませんからね」

ハンナは体調のいい夜、寝床で半身を起こし、夫に語りかけます。

「畑へまいて肥やしにしてくれりゃいい」

「おかあさんったら」

ソニヤはバラに手をあて苦笑します。

「それじゃおとうさんの面目が立たないわ」

「どういうことだい？」

と母。

ソニヤはくすくす笑いながら、

「誰もみたことがないような、すごいお棺にしなくっちゃ！　先っちょで鹿《しか》が踊ってて、てっぺんに風見鶏《かざみどり》がついて、ふたは虹色《にじいろ》に塗られてる。みているだけで愉快なお棺。ああ、自分もいつかこんなのを注文したい、って思ってもらえるような、そんなお棺よ」

スミッツ氏は黙って聞いています。

「冗談じゃない」

とハンナは首をすくめ、

「そんなもののなかじゃ、誰もおちついて眠れませんよ」

棺桶は、ほかのどんな商品ともちがっています。みずからが選び、代金を支払って使う、というわけにいかないのです。

全国のセールスマンをあつめた勉強会で、スミッツ氏は演台に立ち、

「だれにも、準備などできていません」

ことば少なに話したことがあります。

「どんな重病のかただって、自分が棺を使うことなど、考えてはいないのです。だからこそ、われわれ売り手のほうは、すべての心構えが、予《あらかじ》めできていなくてはならない」

風の強い、三月の午後でした。待合い室でサンドイッチを食べていたスミッツ氏は、院内放送で呼び出されました。受け付けに出向くと、黒い受話器が伏せておいてあります。

「もしもし」

「ああ、スミッツさん……」

相手はアパートの管理人でした。声は暗くはりつめています。スミッツ氏はひとつ深呼吸をしました。受話器を握りなおすと、

「家内が、なにか？」

「ちがうんだ」

管理人はつづけました。

「娘さんだ。ソニヤのことなんだ。なあ、気をたしかにもってくれ」

パンと干し肉を買った帰り、ソニヤは帽子を風に飛ばされたのです。母親からもらった麦わら帽でした。あわてて手を伸ばした彼女の足もとには、地面がありませんでした。橋の上からコンクリートの川土手へ、まっさかさまに落ちたソニヤのまぶたは、それきり二度と開きませんでした。

その夜、スミッツ氏は普段どおりの表情で、葬儀屋と式次第の打ち合わせをしました。ハンナは鎮静剤が効いてよく眠っています。同僚たちがやってきて、なにか手伝えることはないか、と訊《たず》ねます。スミッツ氏はしずかに微笑《ほほえ》み、黙って首をふりました。

翌朝目覚めたとき、妻のハンナはずいぶん正気を取り戻していました。夫から手渡されたコップから、のみやすくさましたミルクをふた口すすって、

「あなた」

「なんだね」

そのまま何もいえません。

スミッツ氏は彼女の手を握り、

「突然やってくるものだ」

とささやきました。まるで自分の胸にいいきかせるように、じっと手と手を合わせ

たまま、

「こういうことは、いつだって突然、なんの前触れもなくやってくるものなんだ」

教会に届けられたのは、質素な木製の棺桶でした。鹿も、風見鶏も、ソニヤがいったような飾りはなにもついていません。ただひとつ、ちょうど胸のあたりに、バラの浮き彫りが施されてあります。

真っ黒い服を着て、墓地への道を、スミッツ氏は毅然《きぜん》とあごをあげ進んでいきます。行列のうしろでは、その落ち着きに目をみはるものも少なからずいました。しかし、四角い穴に棺がおろされる段になって、スミッツ氏はほかの誰もがやるとおりのことをしました。黒服を泥まみれにしながら、棺のふたにとりすがって、ソニヤ、ああ、ソニヤ、と大声で叫んだのです。

5 風呂屋の島田夫妻

銭湯「島之湯《しまのゆ》」ではガスを使わず、いまだに薪《まき》で湯をわかしています。まん丸頭のご主人、島田春雄さんは、この道五十年の釜《かま》たき職人。奥さんのるり子さんはもっぱら番台にすわっている。毎晩シャッターを閉めるとふたりはリズムを合わせ湯船を磨きます。

島之湯にくるのは、年老いた常連客ばかりではありません。近所の若夫婦、中学生の草野球チーム、ひとり住まいの青年たち。はるばる電車に乗りやってくる、若い女性までいました。みんなお湯からあがっても、しばらく縁台に腰掛け(表に出してあります)、夕暮れの風に当たりながら、ここちよさげに目を閉じています。

島之湯のお湯はまさにごちそうでした。その日の天気、湿気や風の具合などから、春雄さんは毎日の湯加減を決めていました。湯船につかっているとときどき、

「ぼわっ、ぼわっ」

と火勢の変わる音が聞こえてきます。春雄さんが加減を調節しているのです。ここのお湯につかると、ひとはみなその日の憂《う》さを忘れました。新品のような気分になって、朗らかに家路をたどっていくのでした。

ある日胸の下あたりに違和感をおぼえ、春雄さんは病院をたずねました。常連客だった内科医は、しばらく迷っていましたが、春雄さんの穏やかな表情にうながされるように、ことばを選んで病状を告げました。胃の底にできた悪性の腫瘍《しゅよう》は、もはや手のほどこしようのない範囲にまで広がっていました。

付き添いのるり子さんは呆然《ぼうぜん》となって、

「食べ物にはずいぶん気を遣ってきたし、それに、温泉地の飲泉だって、ほうぼうから取り寄せてきましたのに」

「飲みあわせが悪かったんだろうよ」

春雄さんはこともなげにいいます。

「おやじも同じような病気だった。棺桶《かんおけ》は風呂《ふろ》釜で焼いてくれなんていって、おふくろにぶん殴られていたっけ。さあ帰るぞ。夏のこの季節は、お客の出足が早いんだ」

この日以降も春雄さんは淡々として仕事をつづけました。るり子さんも番台の上では笑顔を絶やしません。一週間ほど経《た》ったある日花屋のご隠居が、湯上がりにうちわを使いながら声をかけてきました。

「るり子さん、風呂に張る水をかえたかね」

「いいえ。どうかされましたか」

ご隠居はうちわの手を動かしながら、先週からお湯が以前にもまして肌へなじむようになった、と告げた。家へ帰ってからもいいにおいがずっとつづく、猫や犬は膝《ひざ》に居座って動こうともしない。まったく魔法の湯だよ。

るり子さんは黙ったまま脱衣所を見渡しました。いわれてみると、お客たちのからだはぼんやり光を放っているように見えました。

その晩、湯船を磨きながら彼女は湯加減についてたずねてみました。春雄さんは一瞬へんな顔をして、いままでと同じさ、と笑いました。これまでやってきたとおり湯をわかしてる。魔法の湯だなんてとんでもない。おれの湯さ、島之湯のただのお湯だよ。

けれど日を追うごとに、お客たちの肌つやは目を見張るほどになってきました。女湯の洗い場では近所のおかみさん連中が卵のような頬をなであっています。男湯では老人たちがやれ腰が伸びた、足が曲がるようになったと騒いでいます。湯釜のほうからはあいかわらず、ぼわっ、ぼわっ、と炎の音が響いていました。輝くようなお客たちの裸身を見つめながらるり子さんは決心をしました。

翌日の午後、釜に薪を組む春雄さんに歩み寄り、あなた、お湯にはいってください、とるり子さんはいった。皆さんが帰ったあとでいい、後生ですから、あなたのわかしたお湯に、はいってみてください。春雄さんは驚きました。銭湯の湯船につかったことなど、これまで一度としてありません。お客と風呂屋は一線を引くべきだと、ずっと長いあいだ思ってきましたし、るり子さんも同じ意見だと知っていました。目をむきふりむいたとたん、すがるような奥さんの表情にはっと息をのみ、春雄さんはなにもいえなくなりました。

夜中過ぎ、春雄さんは照れくさそうに着衣をとっていきます。誰もいない洗い場を忍び足で歩き、たらいでお湯をすくうと、肩からざぶりとかけます。湯船へ身を沈めてみると、お湯はなめらかに全身を包みました。目をとじ、吐息をもらす。全身が溶けだすような感覚がおそう。まるで産湯《うぶゆ》につかっているようだ、と春雄さんは思いました。いや、それどころか、生まれる前に戻ったみたいだ。

そこがどんなところだか、春雄さんには見当もつきませんでした。しかし、もうすぐ自分は、その場所へ帰っていくのかもしれない、そう思うと、胸のなかのくすみがきれいさっぱり消えてしまった気がしました。誰もいない釜のほうから、ぼわっ、ぼわっ、と音が響いてきます。湯船を見回すと、自分のわかしたお湯が黄金色に光って見えます。

お湯加減はどうですか？　るり子さんが脱衣所から顔を出しました。春雄さんは声に出して笑うと、お前もはいんなさい、といいました。ささやかな抵抗を試みましたが、結局るり子さんも、男湯の湯船につかることになりました。ふたりで同じ湯にはいるなど、結婚して以来はじめてのことです。

肩までお湯につかると、るり子さんはうっとりとほほえみました。

「いいお湯」

「そうだろう」

となりで春雄さんも目をつむります。

ぼわっ、ぼわっ、と薪の燃える音が、また聞こえてきました。輝く湯船に身を沈めながら、るり子さんはたちこめる湯気を吸いこみました。すべてを溶かすような黄金色のお湯のなかで、ふたりは目をとじ、じっと黙ったままでいました。

6　図書館司書のゆう子さん

高田ゆう子さんは勤めて五年目の図書館司書です。本を読むのが大好きでついた仕事でしたが、じっさいやってみると、とても勤務中読書にふけるなんてわけにはいかず、ただこれは司書であろうが郵便配達であろうが、仕事をまじめにやるならどこもおんなじです。

ある日、二階へつづく階段の手すりから幼稚園児が落ち、おでこに三針の怪我《けが》をしました。手すりのすきまを板でふさぐことが急遽《きゅうきょ》決まり、翌日工務店のひとがふたり、おおきな工具箱をかかえ、オレンジ色のつなぎ姿で図書館へやってきました。まるで、本を焼いてまわる話のなかの役人みたい、とゆう子さんはおもった。ふたりも落ち着かない表情で、じっとうつむき工具類を点検しています。ともあれこの日、ゆう子さんらの仕事はお昼でひけてしまいました。ひさしぶりにうちで何か本を読もう、と彼女は考えました。

返却棚に立てられた『エミールと探偵たち』は、もちろん以前に読んだことがありました。ずいぶん昔のことなので、細かな筋はあらかた忘れてしまっています。早く退出せよと次長が手のひらを振っています。黄ばんだ貸出カードにすばやく日付印を押し、ゆう子さんはその古い本をもって外へ出ました。歯ぎしりのような工事の音がうしろでひびきはじめます。

午後の日差しがななめに差し込む八畳間にあぐらをかき、玄米茶をすすりすすり、ゆう子さんは薄いページをひらきました。すぐに没頭します。カラー挿絵による鮮やかな導入、平易かつ正確な訳文、息をのむ筋立て。お茶はとうにさめてしまい、ゆう子さんはそんなことに気づきもしません。最後のページをゆっくりとめくりおえ、ほう、と彼女は吐息をつきます。

そうだ。胸のなかでひとりごちる。自分はこういう本を読んで、読書好きになったんだわ。昔味わった興奮は、いまもなんにも変わらない。わたしのからだのなかに、ずっと長いあいだきれいな火花が眠っていたみたい。

まだ四時過ぎです。ゆう子さんは米をとぎ、風呂桶《ふろおけ》をみがく。洗濯物をとりこみながらみあげると、西の空は夕焼けです。

夕食の支度まではまだ時間があります。何の気なしに『エミール』をひろいあげ、ゆう子さんは、ぱらぱらとページをめくる。五十二ページ目でふと手をとめました。

さっきは見落としていたのでしょう、ページの喉《のど》あたりに、薄い鉛筆の字で七桁《けた》の数字がかろうじてみえます。電話番号らしい。ゆう子さんは少しのあいだ目を離せないでいます。その数字は、自分が幼い日を過ごし、もうとうの昔に焼けてしまった懐《なつ》かしいうちの、忘れかけた電話番号とたしかに同じでした。

晩ごはんはかますの開き、なめこおろし、大根と油揚げのみそ汁にしました。お風呂で時間をかけ石けんを使い、半分のぼせたようになって居間へ戻ります。ちゃぶ台の古い本へやはり目がいきます。

そんなはずないわ。

トレパンに着替えたゆう子さんは内心のたかぶりを打ち消すように水を飲みほす。住んでたのはぜんぜん別の街。通ったのも別の図書館。わたしの残した落書きのはずがない。

もう一度本に目をやる。おもいきって手に取り、ページを開いてみます。たしかに番号はあのうちのものでした。ゆう子さんは畳に座りこむ。床の黒電話が目にはいります。

ばかげた考えだわ、と頭をふります。だってあそこはもう、この世にはないのだもの。母さんだって父さんだってこの世にはいない。

でも、とゆう子さんは、黒い受話器を見つめながらつぶやいています。もしかけたなら、誰が出るだろうか。そう、もちろん今あの街に住んでる誰か。決まっている。

「わたくし高田ゆう子と申します。ええ、図書館の司書をしております……」

それとも……十歳のわたしが出る？

「もしもし、こちら三十になったゆう子よ。今あたし、仕事なにしてるとおもう？」

ひょっとして、でもまさか。

ありえないわ。母さんが出るなんてこと。

「あの火事は母さんのせいじゃないわ。あの晩はくるくると風が舞ってた。ぜったいに違うよ。あれは母さんのせいじゃない」

ゆう子さんは灯りを消します。古いその本を枕元《まくらもと》に置き、かたく目をつむります。

夜半すぎ、はっと目が覚め起きあがるたび、ゆう子さんはたった今自分がどんな夢をみていたか、おもいだすことができませんでした。

翌朝もよく晴れています。ゆう子さんは出勤前、図書館司書のするべき仕事をすませました。『エミールと探偵たち』の五十二ページをひらき、やわらかな手つきの消しゴムで、薄い鉛筆の字をこしこしと消したのです。

図書館の手すりは立派にできあがっていました。ゆう子さんは手すりに付けられた板を、ぺんぺん、とたたいてみます。満足げにほほえむと、『エミール』のカードに返却の印をつき、そっと書棚へもどしておきます。

7　象使いのアミタラさん

当代一と謳《うた》われた象使い、アミタラ・キンケイドさんは、じつは象からうまれたのだ、という噂《うわさ》があります。そうでもなければばかでかい象と、あんな風に通じ合えるわけがない、というわけです。彼女はインタビューのなかで、苦笑まじりにこう語っています。

「わたしにも一応、人間の両親がいましたよ。父はいまも行方しれず。母は家の近くの沼に落ちて、コイのえさになりましたが」

ただし、アミタラさんの技を目の当《ま》たりにしたなら、誰もがきっとこう思うはずです。この小柄な女性はひょっとして象からうまれたのかもしれない。あるいは、このひと自身、人間の形をした象なのかもと。

動作は一見ほかの象使いとかわりません。首の後ろにまたがり、両足や指で象のか

らだを叩《たた》いたり、耳のそばへくちびるを近寄せ、

「ヒュイッ、ヒュイッ！」

と甲高い音をだしたりする。

ふつう象使いは「一語ずつ」の指示をつないで、象をあやつる。つまり「立て」「歩め」「曲がれ」「取れ」「止まれ」と、立てつづけに伝えていくわけです。しかしアミタラさんはちがっていました。たとえばヒュウ、ヒュウとのど笛を鳴らし、「明日の夜明け前、わたしの家の屋根を三度叩いて起こしておくれ」と、これだけのことを一気に伝えることができた。また何よりすごいのは、同時に何百頭の象さえあやつれたことです。アミタラさんの指示ひとつで象たちは、大がかりな工事を半日で片づけてしまいます。象ばかりなので、作業に無駄がないのです。

そのこつについて、

「象を使うとき、わたしは、ずいぶん『象になっている』のです」

とアミタラさんはふしぎな言い回しでインタビュアーに語っています。

「象はペットではない。仲間でもない。『象は象』です。当たり前のようですが、これを知ることがなにより肝心なのです。象のことは、象でなければわかりません」

象の家族、象のいちばんの親友。そんな風に呼ばれ、紹介されることを、アミタラ

さんは実のところあまり好まなかったようです。

「象と人間とは、まったくちがいます。かけはなれた生き物なのです。わたしにわかっていることがあるとすれば、象と人間がどれほどかけはなれているかという、その距離感でしょうか。それは決して埋まるものではありません。が、わたしの場合、仕事にはいるとその距離を多少縮めることはできます」

アミタラさんと象たちの功績は、枚挙にいとまがありません。山火事の際には、何十頭もの象（放水班と伐採班にわかれていた）が森の被害を最小限におしとどめました。津波がくるとなれば、浜辺にずらりと象の壁が並びました。ひどい干ばつのときには、国じゅうの畑地で何千という象のスプリンクラーがまわっていました。

とりわけ有名なのが、タンカー座礁《ざしょう》事故のときの働きでしょう。嵐《あらし》の夜、外国籍のオイルタンカーが沖合で岩礁に乗り上げました。最寄《もよ》りの浜には珊瑚礁《さんごしょう》、そして養殖エビのいけすが数キロに渡りひろがっています。

アミタラさんはまず、浜辺にずらりと数百の象を立たせました。

「ヒュッ、ヒュッ！」

彼女が声をだすと、象たちは鼻先を海水につっこみ、思いきり息を吹きだしました。何度も何度もくりかえし、ものすごい勢いで鼻息をつきます。寄せくる荒波は、そのうちに押しとどめられ、やがて、浜へひたひたと押し寄せていた重油ごと、沖にむけ逆流をはじめたのです。

「ヒュイッ、ヒュッ、ヒュッ！」

岩場から、別の象たちがあらわれます。しっぽには巨大なヴィニール袋が縛り付けてある。象たちは岩場から海へどぼどぼと飛びこむと、潜望鏡のように鼻先をあげ、仲間のうみだすさかさの波に乗って、岩礁のほうへと泳ぎでていきます。

真っ黒に粘つく海原で、象たちは立ち泳ぎしながら、あたりに広がる重油をずるずると鼻で吸いあげました。じゅうぶん吸ったら背後のヴィニールへ油をあける。また吸う、また捨てる。ひたすらそのくりかえし。

やがて陽ざしがもどり、波も静かに凪《な》いできます。海が青く輝きだすと、アミタラさんは双眼鏡をおろし、ヒュルヒュルヒュル、と甲高くのど笛を鳴らしました。海の象たちは鼻先をつかってヴィニールの口をていねいにしばり、横一列になって浜へと帰ってきました。漁師や船員たちは拍手しながら彼らをむかえた。象たちに怪我《けが》はありません。鼻風邪をひいた象さえ、一頭もいませんでした。向こう百年間、影響が残ると予測された汚染事故を、アミタラさんと象たちはこうして、半日たらずで片づけてしまったのです。これが彼女たちの最後の仕事となりました。

タンカー事故の翌月、アミタラさんと象たちに、王室から勲章がくだされることが決まりました。サッカー競技場でおこなわれた叙勲式には、一万をこえる市民が詰めかけ、象にまたがったアミタラさんに手をふり、声援を送りました。アミタラさんは背筋をぴんとのばし、少し緊張した面もちです。象にはいくらくわしくとも、こうした式次第に、彼女はまるきり不慣れなのです。

スタンドから女王陛下がおりてくる。歓声がいやましに高まります。象の横を走るジープから、将校が手を筒状にまるめ、

「アミタラさん、おりて!」

太い声でささやきます。

「陛下の前だ。象からおりて一礼なさい!」

アミタラさんは真っ青になりました。すばやく腰を浮かせ、とんと勢いよく、象の脇《わき》へとおりたちます。あわてたのは象です。軽く後ろ足で立ち上がり、とっ、とっ、後ずさりすると、ぺたんと前脚を地面につきました。そこには今まさに帽子をとり、頭をさげかけたアミタラさんがいました。

象はおずおずと脚をあげ、うつむくと、消え入るような小声をあげました。他の象たちもあつまってきます。地面の上の、洗濯物のようなかたまりを取り囲み、やがて

いっせいにごうごうと吠《ほ》えはじめます。

一頭が芝生を掘る。三頭がその穴にアミタラさんを運び、上から土をかける。残りの五頭が木の看板をめちゃくちゃに壊し、こんもりと盛り上がった塚の上にばらまく。

象が墓をつくり、追悼歌のような声をあげるのは、野生でもよくみられる行動です。捕食者に死骸《しがい》を渡さないためだとか、仲間に危険を知らせているのだとか、理由はさまざまいわれていますが、ほんとうのことはわかっていません。アミタラさんのいったとおり、象のことは象にしかわかりようがないのでしょう。

ただしかし、アミタラ・キンケイドさんが象たちから、なにか特別な、種をこえた存在とみなされていたのは、おそらく間違いのないことだった。観衆も王家のひとびとも、みな立ちすくんだまま、悲しげな象の歌にえんえんと耳を傾けていました。このとき国じゅうの象が鳴いたといわれています。アミタラさんの墓は、今もまだ、競技場の芝生の隅にぽつんと立っています。

8　床屋の国吉さん

床屋なんてのは、適当に気を抜いてやるぐらいでちょうどいいんだ、と飛田国吉さんは普段から店でいっています。あんまり真剣な顔だと、お客のほうで怖がっちまう。なにしろ刃物仕事だから、ばかな与太でも飛ばしながら、ちょいちょいって手早くやるのが昔ながらの床屋さ。

じっさい国吉さんの口は仕事中、ひっきりなしに動いています。政治情勢、野球の話題から、最近はやっているおもちゃ、テレビアニメの筋まで、この世のあらゆることに通じている。むすっと黙り込んだ客にまで、国吉さんはひとりえんえんと話しかけています。

「おれまで黙っちまってると、腐った魚さばいてる板前みたいだろうが」

黙っていた客は無言で代金を払い、また翌月も黙ったまま、店の戸をくぐるのです。

住職の小宮山光英さんは、国吉さんと幼なじみで、いまも三日に一度店に来て、頭を剃《そ》りあげてもらっています。昔からいいかげんなやつだったよ、と光英和尚《おしょう》は微笑していいます。白バイに乗りたいとか、鹿《しか》を撃つんだとか。結局まあまあな腕の床屋になった。いまだにわりと、小心なところがある。

「切った髪をまとめて捨てるときにな」

と和尚はいたずらっぽく声をひそめ、

「ゴミ箱にむかって手を合わせておる」

国吉さんは国吉さんで、光英和尚が店先に姿を見せると、きやがったよなまぐさが、と悪態をつき、椅子《いす》に座って待つようぞんざいに示します。五十年もののかみそりは、研ぎすぎでちびてしまい、爪《つめ》やすりのようです。

「坊主《ぼうず》の頭だけは手抜きができない」

国吉さんは苦笑気味にこぼします。

「頭をくるっと撫《な》でりゃあ、赤ん坊にだって剃り残しがばれちまうからな」

奥さんを早くに亡《な》くし、息子の善太さんは学校を出て美容師になっています。雑誌に顔写真が出るほどの売れっ子です。この業界は休みが少なく、ふたりが顔を合わせる機会は滅多にありません。善太さんはカタカナ文字の美容室を近いうちに辞め、父の店を継ごうと思っています。まだ国吉さんには打ち明けていません。

「幼いころ父は店が終わると、たくさん人形をつくってくれました。入院がちだった母とぼくのために。布をひとのかたちに縫い合わせ、ぼくたちふたりの髪をつめるのです」

祈願もあえなく奥さんは亡くなります。同じ臓器を患っていた善太さんは、枕元《まくらもと》に置かれるちいさな人形に怯《おび》え、こわいから早く捨ててほしい、と国吉さんに訴えました。

「翌週、父は人形のかわりにぬいぐるみを持ってきてくれました。熊《くま》のぬいぐるみです。真っ黒くて、両手をあげ、目が離れすぎている。ぼくは一目で気に入りました。あとで知ったのですが、その熊のなかにも、ぼくの髪の束が忍ばせてあったそうです」

善太さんは小学校を出るまでに、二度死にかけ、二度永らえました。枕元にはずっとあの熊が置かれてありました。やがてぬいぐるみはぼろぼろに裂け、目鼻も取れて、なんだかよくわからないようなものになってしまいました。新入りの看護婦が間違えて、ある日捨ててしまったといいます。

中学校にあがった善太さんは、見違えるように元気になり、かねてから憧《あこが》れだった野球部にはいろうと決めました。スポーツ刈りはもちろん国吉さんのお得意です。口笛まじりに古い野球選手の名前を口にしながら、国吉さんは鳥が羽ばたく勢いで、元気な息子の髪を刈り落としていきました。

途中で、あ、と手を止めます。

父さんどうしたの、と善太さんが聞きます。

なんでもないよ、と国吉さんは笑い、はさみをまた動かしながら、なあ善太、野球はキャッチャーだぜ、外野なんて疲れるだけだ。キャッチャーならいちばんいいところで、座ったまま野球を見られる、といいました。

その夜便所に立ったとき、父の態度が気になった善太さんは、手鏡を後ろに構え、後頭部を映してみました。そして思わず、あ、とつぶやいた。首筋をあがったあたりに、小さなはげができていました。そのかたちは、両手をあげたあの熊にそっくりでした。

国吉さん自身は病気に縁が遠く、七十を越えた今でも、毎朝ひとりで店じゅうを磨きます。お客がいないところで、その顔は真剣そのもの。鏡についたわずかな水滴さえ見逃しません。常連客は同年配の男性が多く、朝九時前に店の戸をくぐるものもいる。お昼を過ぎてしまうと水を打ったように暇です。けれど国吉さんはけして店をしめません。

ときどき学校をさぼった中学生が、噂《うわさ》を聞いてやってくることがある。国吉さんは、脱色であろうがカラーリングであろうが、注文通りに仕上げてやるのです。将来のお客の開拓だよ、と常連たちには笑っていますが、彼らの親が苦情をねじこんでくると、

「お前さんらだって染めてんじゃねえか」

背中でぴしゃりといい捨てます。

ある朝仕事中に、お寺から知らせが入りました。国吉さんはわずかにうなずくと、近頃の相撲のひどさに話題を戻し、両側の刈り上げを手早くすませました。夕方までしずかに座って時を過ごし、時計が七時を指すと掃除をはじめる。黒服に着替えて出かけます。

光英和尚は生前からつきあいの広いひとでした。お通夜《つや》には檀家《だんか》代表、政治家、教師や商店主だけでなく、ひらひらした服の女や外国人まで姿を見せています。奥さんと国吉さんは昔からの知り合いです。

「会ってやってください」

奥さんに誘われ、棺桶《かんおけ》の前に立つ。光英和尚は口を結んで横たわっていました。顔のまわりの花がまるで似合っていません。国吉さんはふと首を傾《かし》げ、棺桶の端に回りました。和尚の頭を見おろし、喪服の懐《ふところ》からかみそりをとりだします。

「この野郎、執念の深いやつだなあ」

そうつぶやいてしゃがみこむ。はげ頭の表皮にぽつぽつ浮かぶ、生えかけた白髪の粒を、鋭い刃先でていねいに剃っていきます。国吉さんは棺桶のなかの顔を見下ろし、満足げに笑いかける。そして、くるりと和尚のはげ頭を撫であげ、通夜の席に戻りました。

9

警察官の石田さん

巡査になって五年目の石田さんは顔が鳥です。からすや鳩《はと》など身近な種より、どちらかというとあほうどりやかもめ、つまり海鳥系統によく似ています。派出所の前に立ち、後ろで手を組みながら、クリーム色のくちばしをかつかつと鳴らす。道を尋ねにきたおばあさんや子どもが、じっくり眺めていることがよくあります。

射撃の腕前は県警内でも随一で、全国大会では三度つづけて優勝しました。明るい場所ではとにかく目がいいのです。日暮れになると途端に目がかすむため、度の強いめがねを石田さんはかける。つるを引っかける耳がないので、水中めがねのようなゴーグルを使っています。

「ただいま」

「お疲れ様でした」

帰宅した石田さんを奥さんの由美子さんが笑顔で出迎えます。

「あなた、今日はとりたてて何か？」

「いや、しごく平穏な一日だったよ」

風呂《ふろ》上がりの石田さんはポロシャツに着替え、座布団《ざぶとん》にあぐらをかいて、テレビのスポーツニュースに見入ります。由美子さんは台所から、新鮮ないわしを五尾、ボウルに入れてもってくる。しっぽをつまんでひょいひょい投げあげると、石田さんは顔を少しあおむけ、器用にぱくぱく受けとめます。

とある朝、本署から電話がありました。今日から一週間、大学出の新人が研修にくる、というのです。昼過ぎ白黒のライトバンが派出所の前で停まりました。人事課長に連れられ、おろしたての制服姿で新人がおりてくる。その顔はぶち猫にそっくりでした。

「若田健吾くんだ」

と課長はうなずきました。

「こちらは石田秀一巡査。非常に優秀な先輩だから、いちいち注意深く話をきくように。わかったね」

「はい！」

若田くんはぺろぺろと口のまわりをなめながら元気よく返事をします。

課長が帰ったあと、ふたりは派出所の机でお互い黙っていました。石田さんはどうにも落ち着かない気分です。若田くんも緊張気味に、きょときょと目を動かしています。

「警らの時間だ」

「はい!」

うーんとひとつ伸びをする若田くん。鋭い牙《きば》を石田さんはおそろしげに見やります。自転車に乗って商店街を行くふたりを、わあわあと子どもたちが追いかけていきました。

三日四日と過ごすうち、石田さんはこの新人について、顔が猫なこと以外、いたって普通の若者だと得心しました。とんぼを追いかけ回したり、机の脚で爪《つめ》を研ぐわけでもない。礼儀正しい挨拶《あいさつ》は気持ちがいいくらいです。にゃあと笑ったその顔さえ見ない限り。

午後の警らが終わったあと、若田くんはぴちゃぴちゃお茶を舐《な》めながらいいました。

「先輩はとっても街の人に好かれていますね」

「そう見えるかい」

若田くんは背筋を伸ばして、

「先輩の自転車にみんな笑っていますから」

「そうだなあ」

石田さんは少しの間考え、

「警官の役目って、街の人に笑ってもらえれば、それがなにより本望だ」

若田くんは何度かうなずき、

「あの、個人的なことを伺いたいんですが」

といいました。

「なんだね」

「先輩は、その、空を飛べるんですか？」

石田さんは一瞬目を丸くし、すぐにげらげら笑いだすと、そのまま一分以上の間、ずっと笑いつづけていました。

五日目の朝、やくざめいた男性が派出所に駆け込んできました。飼い犬が鎖を切って逃げ出したというのです。石田さんと若田くんは自転車に飛び乗りました。二手に分かれ、犬を見ませんか？　犬に気をつけて！　と叫んで回る。保健所への連絡も無論忘れません。

犬は小学校の校庭にいました。児童はみな教室に避難している。真っ黒い毛並のその洋犬は、口元から白いよだれを垂れ流しながら、砂場のまわりを徘徊《はいかい》していました。大きさは優に子牛ほどはあります。

若田くんは自転車の上でぶるぶるふるえています。元来犬が苦手なようです。

「君はここで待て」

と石田さんは手で示しました。

「犬は怯《おび》えの気配を正確にかぎ取るから」

石田さんが一歩ずつ近づく。犬は喉《のど》から低いうなり声をあげます。子どもたちは窓にとりついて見ていました。石田さんは中腰になり、細紐《ほそひも》で輪っかをこしらえます。

「さあ、おいで」

歩を進めつつ、やさしく話しかけます。

「さあ、わんちゃん。こっちへおいで」

石田さんの知らなかったことがひとつあります。この巨大な犬は幼いころから『わんちゃん』と呼ばれることが何より嫌いでした。『わんちゃん、わんちゃん』と呼ばわりながら、飼い主がスリッパで鼻を叩《たた》くからです。犬はごうと吠《ほ》え、石田さんに飛びかかりました。頑健な巡査とはいえ、子牛ほどの巨体にのしかかられてはたまりません。石田さんは仰向《あおむ》けに倒れました。白い羽毛の首元めがけ、よだれまみれのあごが大きく開きます。

「この野郎！」

と叫び声が響いた瞬間、犬の体が宙に浮きあがった。新人警官の若田くんが、背面投げの要領で犬の胴体を担《かつ》ぎあげています。一度二度、勢いをつけると背中ごと倒れ、黒犬を地面に組み伏せました。石田さんは素早く起きあがり、細紐の輪を犬の鼻に引っかけます。犬はすぐ半泣きの表情に変わり、おとなしくしっぽを丸めました。

「すごい、すごいぞ！」

校舎のほうから歓声があがります。

「猫とかもめが、でっかい犬をやっつけた！」

石田さんは苦笑を浮かべ、制服の砂土を払いました。若田くんは満足げにごろごろと喉を鳴らし、しきりに顔の毛を整えています。

「君にはひと晩おごらんといかんな」

と石田さんはいいました。

「それとも今夜うちに来るか。いわしのうまさだけは自信がある。毎週、新鮮なやつを妻の実家から取り寄せているんだ」

「いいですね。いわし、ぼく大好物です」

といって若田くんは牙をむき、ぺろぺろと舌なめずりをしました。

10　コックの宮川さん

コックさんといえば調理場を連想しますが、実は、冷蔵庫にじっともぐりこんでいるのが、コックにとりもっとも大切な仕事なのです。暗くつめたい冷蔵庫に潜み、いったいなにをしているか。扉にそっと耳をあててみればわかります。押し殺したような低い話し声。コックさんが懸命に働いているのです。

たとえば、ふるえるにんじんを相手に、

「痛くないって。うちの包丁はもう、当たったとおもったとたん、切れているからね」

豚のこま切れに手をやり、

「見たこともない脂《あぶら》だ。消化されたあとも、きみの風味はえんえんと残るだろう」

食材たちはこわいわけです。明日には刻まれ、焼かれ、蒸され、やがて見も知らぬひとのまっくらな口のなかで、跡形もなくこなごなにすりつぶされる。調理の前に因果をふくめておかなくては、料理がひどく水っぽくなるか、悪くすれば「あたって」しまいます。冷蔵庫でやるおはなしの首尾不首尾で、コックの腕の九分九厘《りん》がきまってくる、と、料理界ではひそかに、昔からそういわれてきたのです。

あのじゃがいものことは、いまもよくおぼえているよ、と、ある一流ホテルで料理長をつとめる宮川さんが、厨房《ちゅうぼう》のすみで語ってきかせてくれました。

「立派なじゃがいもだった。香りも色つやもぜんぜんちがっていた。私はあのころ、まだ駆けだしでね、鶏《とり》やひらめににらまれると、それだけで舌がもつれっちまった。焦《あせ》ることはない、ゆっくり話すんだよ。いもは何日も何日も、棚の上からそういってくれた」

ある晩シチューをつくることになった。たまねぎやにんじんはみな仲間に手をふり、冷蔵庫からでていきます。ところが仔牛《こうし》のすね肉だけが、わんわん泣き叫んで動こうとしない。若き料理人が途方に暮れていると、あのじゃがいもが、大声でいったんだそうです。

「お前のおやじを知ってるぞ。みなから尊敬された、偉い偉いロース肉だった。お前はよくおぼえていないだろう。さあ来い、おれがたっぷりきかせてやるから」

そういって仔牛を連れ、自らシチュー鍋《なべ》に飛びこんだのです。じゃがいもはまるで雲のようにまたたく間に溶けました。そのエキスは仔牛の髄にまでしみ通り、シチューからはやがて、春風のような香りがあふれました。

「あんな料理は、これまでで一度きりだ」

宮川さんは白髪頭をふっていいます。

「いもとロースは、実際に親友だった。でもそのロース肉を、私は捨てなきゃならなかった。この私が腐らせたんだよ。まったくもって立派ないもだった。私などまだ、ほんの駆けだしさ。いまも本気でそうおもうんだよ」

11 ボクシング選手のフェリペ・マグヌス

ボクサーの仕事は、相手をぶんなぐることじゃあないし、試合に勝つことでもありません。負ける側だって、きっちりファイトマネーをもらうのですから、試合にで、お客たちの「見世物」になる、というのが、つまりはプロボクサーの職務であるといえましょう。

なにしろ、負けるのが快感、というボクサーだっているのです。むろん八百長《やおちょう》なんかじゃない。力の均衡した相手と精一杯たたかい、そのはてにマットへひざをつく。そして遠い耳のなかで、ノックアウトのテンカウントをきくのです。

あるボクサーはこういっています。ちょうどいい相手とやるボクシングの試合は、まるで平均台の上をあるいていくようなものだ。こちらがふと、勝敗を意識したとたん、足元がふらつき、結局は台からおちてしまう。

台をわたりきる喜びもあれば、バランスをくずして台からおちる、めまいのような快感もある、というわけでしょう。この点、伝説の元フライ級世界チャンピオン、フェリペ・マグヌスのボクシングは、まさしく平均台のうえの魔術にみえました。彼は平均台からおちるとき、つまり試合に負けた瞬間にこそ、いちばん絵になるボクサーだったのです。

外国紙のインタビューにはこうあります。

「負けるって感じが、わたしは、こどものころから好きでした。ただ、ずっと負けっぱなしじゃ、すぐ引退ってことにもなります。デビュー戦の日どりをつげられたとき、ひそかにあることを決めました。よし、貯金をためよう、わたしはそうおもったのです」

貯金とはつまり、勝ち星のことでした。フェリペ・マグヌスはデビュー以来五十連勝をかざったのです。評論家によれば、圧倒的に強いボクサーなればこそ、負けへのあこがれがいっそう強いのだそうです。ともあれ五十勝目をあげたとき、チャンピオンはこうおもったといいます。「もういいだろう」

それからフェリペ・マグヌスは負けつづけました。まるで蝶《ちょう》が長い崖《がけ》をおちていくように。はじめのうち、母国の民衆はいぶかしみ、二十敗あたりで興奮しだしました。

連敗記録がのびていくなか、貧しい国じゅうが熱狂し、喉《のど》をからして声援を送りました。五十敗目のテンカウントは、会場におしよせた二十万人が数えたのです。五十勝五十敗でフェリペ・マグヌスは引退しました。翌日の新聞にはこうあります。

「偉大なるフェリペは教えてくれた。この世界は、勝者のためにだけうつくしいというわけではない」

12

クリーニング屋の麻田さん

クリーニング屋さんは服のプロです。一流のクリーニング職人ともなれば、服の汚れ、皺《しわ》などから、持ちぬしの性格や暮らしむきまで、ぜんぶ読みとってしまうのだそうです。

「ときどきね、こっちのこころがつぶれちまいそうな服があるんですよ」

駅前の店を五十年間無休でつづけてきた、麻田ミサさんがため息をついていいます。

「もう着られることのなくなった、会社員の古い背広。ひどい別ればなしの翌朝の、若い娘のワンピース。そういった服を、あたしはもう、何万着みてきたかしれません」

仕事中はむろん、持ちぬしのことなんて頭にない。くちびるをかたく閉じ、洗剤やブラシ、スチームアイロンを念入りにつかう。店のガラス窓からのぞく麻田さんの表情は、まるで彫刻家か修道女のようにきびしい。

ハンガーを通され、天井の梁《はり》にひっかけられた瞬間、洗いたてのかわいた布は、この世に一着きりの衣服となります。このとき麻田さんの目には、その服に着替えた持ちぬしの顔まで、ありあり浮かんでくるといいます。

「あまり最近、そういうことはしませんが」

と彼女は笑ってうちあけてくれました。

「昔はたまに、しあがった服のポケットに、ちょっとした贈り物を、入れておくことがありました。新聞の切り抜きや造花、きれいなビー玉だとか。洗濯にだされた服をみれば、どういったものがいま、このひとに必要か、あたしにはだいたいぴんときましたから」

昔一度だけ、大失敗をやらかしたことがあるそうです。とある女性のコートを広げ、麻田さんは、彼女の夫がひどい目にあったことをみぬいた。「病気か。怪我《けが》だろうか。ともかくこの若奥さんには気分転換が必要だ」

麻田さんはポケットに動物園の招待券をしのばせてやりました。コートのしみや、かすかな香りから、その女性がまちがいなく、動物好きであることがわかったからです。

三日後コートをとりにきた女性は、その夕方、真っ青な顔で店へもどってきました。

啞然《あぜん》とする麻田さんに指をつきつけ、うちの主人はね、動物園が職場なの！　先週わたしの目の前で、らくだに肩をかまれたのよ！

「平謝りに謝りました。でもね、そのうち」

麻田さんはうっすらと微笑《ほほえ》み、

「奥さんも笑いだしてね。らくだのよだれってひどいにおいで、いくら石鹸《せっけん》でこすろうがまるでとれないんですって。あたしもさすがにそんな服、洗濯したことがありませんよ」

13

雪屋のロッスさん

ヨハン・ロッスさんは有名な雪屋です。ふだんは、トラクターに似た造雪機に乗って、ほうぼうの街をまわっています（速さもトラクター並みにのろい）。大晦日《おおみそか》や誕生日、スキー大会の日など、ロッスさんは注文に応じて雪をつくる。だるまストーブの煙突みたいな管から、ぶんぶんやかましい音とともに、真っ白な雪が噴き出されていきます。市民公園を一面の銀世界にかえるのに、ほんの十分程度しかかかりません。

ロッスさんの雪は、結晶のかたちに工夫をこらしてあり（企業秘密だそうです）、昼ひなかでも通常の三倍は長持ちします。もちろん、さわった感じは、ほんものの雪と何らかわるところがありません。

「意外に需要があるもんですよ」

とロッスさんは少しほほえんで、

「季節とわず、場所もとわずに」

たとえば南洋観光フェリーは、ロッスさんの上得意客だそうです。真夏のデッキにこんもりとふりつもった雪の土手を、日に焼けた船員や年老いた客たちは、まぶしげに見あげる。彼らはすばやく半裸になって、子どものようにはしゃいだ顔で、雪の斜面をのぼり、つぎつぎと滑りおりていく。

土木工事や運搬作業に、ロッスさんの造雪機が一役かうことがあります。足場を立てようがないような、切り立った渓谷で、谷の両側からロッスさんは猛烈な雪をふらせる。渓谷を埋めた雪のうえで、人足たちは安心して橋の工事にとりかかるわけです。がたがたの岩場も雪に覆《おお》われれば滑らかな平原と化します。不時着したジェット機や、巨大な石柱を運ぶさいに、ロッスさんの雪はじっさい、頻繁に使われているのです。そりを使えば運賃が安いし、溶けて流れた雪は、あたりになんの害も残しません。

「ただね、仕事が楽しいのは、やっぱり街なかでの降雪です」

ロッスさんはお湯で割ったウイスキーをすすりながらいいました。深い雪をふみしめるような、しずかで、揺るぎない声です。

「通りを歩くみなさんの顔が、舞いおちる雪を見たとき、ぱっと輝く。ふつうに暮らしておられるみなさんに、雪を見ていただけるのが、私はなにより嬉《うれ》しいのです」

コップの湯気をしばらく見つめ、

「ときどき思うんですが、雪を嫌いなひとは、この世にとても少ないんじゃないですかね。たとえ嫌っているふうにみえても、単純にそうじゃないことが、多いような気がする」

そしてゆっくりと、昨年のクリスマスの話をはじめました。

ロッスさんはクリスマスイブの朝、地元の街の大学前広場を銀景色にかえます。もう毎年恒例の行事で(この街は雪がふらない)、有名な造雪作業を見ようと、おおぜいのひとが集まりました。ロッスさんが姿を見せると金色の鐘がそこらじゅうで鳴らされます。

あっという間に広場は雪で埋まった。子どもたちは二手にわかれて雪合戦に興じはじめ、広場の周囲には、雪の犬、雪の鹿《しか》、雪のばけものたちが立ちならびました。ロッスさんは彼らが遊ぶのを角に立ちずっとながめていました。毛糸帽の下は満面の笑みです。

と、突然、街灯にしばられた犬が、ぎゃんぎゃんと吠《ほ》え出しました。さっきまでにぎやかだった子どもたちの一隊も、火が消えたようにしんと静まっている。なにごとか、とふりかえると、灰色や茶色のぼろを何重にも肩からかぶった、赤ら顔のこじきが、雪の広場を大股《おおまた》で歩きまわっていました。ただ歩くのでなく、わらのホウキで雪の上をでたらめに叩《たた》いています。ひとがいようがお構いなしに、茶色いつばをペッ、ペッ、と吐きちらしながら、ときおり濁った目を周囲にむけます。

「あんた、おやめなさい」

ロッスさんは近づいていっていいました。

「せっかくの雪だ。私がみなさんのためにつくったんだ」

「おまえがつくっただと?」

こじきはつぶれた声でいいながら、破れた手袋の先から、ひとさし指をロッスさんにつきつけました。

「きさま、よくぞ雪なんてひどいものを。せっかくあたたかな場所だってのに、わざわざ雪をつくるなんて阿呆《あほう》がいやがる!」

こじきの口調に、色濃く北国のなまりがあることに、ロッスさんは気づきました。

「すぐ水をまけ!」

こじきはホウキを掲げつづけます。

「雪なんぞみな溶かしちまえ!」

ロッスさんはおだやかな口調で、

「ねえ、あんた。冷えて寝心地が悪いならほかに行きゃいい。あんたもいったとおり、この街は夜通しあたたかなんだから」

じっと相手の目を見つめつづけます。

「それに、今夜はクリスマスだ。ね、腹のたつことがあったとしても、ひとを思いやるってきもちを大切にしなけりゃ」

こじきは黙り、口をもごもご動かしていました。やがてホウキをおろし、重たげに足をひきずって広場から立ち去りました。

その夜、古い友人の家に呼ばれていたロッスさんは、子どもたちへの贈り物（革細工のキツネとウサギ）を、道具箱に入れたままだったことを思い出しました。箱は造雪機の運転席にあります。真夜中過ぎ、ロッスさんは大学前広場へ向かいました。酔い覚ましにもちょうどいい散歩です。

誰もいないと思っていた広場の入り口で、ロッスさんは足を止めました。昼間のこじきが、そこにいたのです。真剣な表情で、わらのホウキを握りしめ、けんめいに地面をかいている。ロッスさんは街灯のかげにかくれました。最初、掃除をしているように見えたそうです。が、だんだんと、そうではないことがわかってきました。

こじきは雪を広場の隅にはきよせ、大きな山をつくっていました。三つの峰をもちなめらかなすそ野が広がる、どこか遠い、北の山のかたち。こじきは峰の頂上に何度か手をくわえ、最後に一度、おおきなため息をつくと、ポケットから三本ろうそくを出し、雪山のすそ野に立てました。火をつけ、そして、山すそにひざまずく。ぼろぼろの手袋をポケットにしまい、ところどころ色のかわった傷だらけの両手をおずおずと握り合わせる。一心に頭を垂れるこじきに、ロッスさんはだまって背をむけ、その場を立ち去りました。

「あの老人がむかし、どこの雪山で、誰と、どんなひどい目にあったか、それはわかりません。見当もつきません」

ロッスさんは頭をふっていいました。

「ただ、彼は雪を憎んでいるわけじゃなかった。きっと、雪を見ると何かを思い出さずにいられないのでしょう。もうこの世にいない、大切なひとの写真を見せられたとき、胸がつぶれそうな思いがするのと同じように」

そして、ウイスキーをひとなめし、

「まあ幸いなことに、雪はいずれ溶けます。はかないようですが、そこが雪のいいところです」

そういって笑いました。

14 似顔絵描きのローばあさん

ローばあさんは毎朝、イーゼルと画材をかかえ騎馬公園にやってきます。花壇の彩《いろど》りに目を細めながら噴水広場で荷物をほどき、キャンプ椅子《いす》に腰をかける。五分もたないうちもうお客がついています。天気のいい休日には行列のできることさえある。十年前、外国からこの街へやってきて以来、ローばあさんはずっと似顔絵を描きつづけてきました。

色鉛筆によるごくごくオーソドックスなデッサン画で、公園にたくさんいるその他大勢の絵描きと、それほどの差があるようにみえません。完成したばかりの絵に、お客たちも最初、意外そうな視線を向け、首をひねりながらその場を去っていきます。けれど噴水広場に、客足のとだえることはありません。一枚目からしばらくおいて、二度三度と描いてもらいにくる常連客も少なくないようです。

「秘訣《ひけつ》ってほどのことでもないんだけど」

腰を曲げ、ていねいに鉛筆を削りながら、ローばあさんはゆっくりとした口調で、

「このお客さんだったら、こういう顔をみたい、こんな様子だったならきっとすてきだろうに、と、あたしは毎回、そんな風に思いながら手を動かしてるんですよ」

常連客のひとり、公園の清掃係がいうことには、はじめはこのばあさん、からかってるつもりか、と思ったそうです。暇つぶしに描いてもらった自分の絵は、やせ細った肩の上に、満面の笑みをたたえていたからです。清掃係は十年前、ローラーにあごの骨を砕かれてこのかた、一度だって笑ったことはありませんでした。あごの鉄板がつっぱって、口を大きく開くことすらままならなかったのです。

「それがな、毎朝絵を眺めてるうち、妙な気分になってきてさ。つくづく変な顔なんだよな、左右で耳の高さがずれてるし。そのうちうちのやつが、おやあんた、笑ってるじゃないか、って、ひどく喜んでさ。つまり、おれはいつのまにか笑うことができてたんだ。ばあさんのあの、おかしな絵のおかげで」

そういって、右の頬あたりをびくびくと激しくひきつらせてみせます（これが笑い顔らしい）。

花屋の女主人は、眠り顔を描いてもらって以降、長年の不眠症から解放されました。

気取り屋の大学教授は、子どものように半べそをかく自分の立ち姿をみて、学生に辛《つら》くあたるのを当分よしたそうです。

ローばあさんはいいます。

「自分のほんとうの顔をみるって機会は、案外少ないもんですよ。鏡に映したり、写真機に向けたりするのは、いってみりゃ、四角い箱にはいっているような、よそいきの顔だからね。ほんとうの顔っていうのは、じつは一時もとまってはいなくて、目鼻も口も、いつもくるくるとめまぐるしく動いてる」

その動きをみているうち浮かんでくる、お客の「いちばんすてきな顔」、彼女はそれを絵に描きます。もちろん、笑顔にかぎりません。激しい怒りや嘆きを、全身であらわにしていることもある。お客はその絵を通し、自分のなかのほんとうを、あらためて目の当《まあ》たりにするのです。つまるところ、ローばあさんの描くのはお客の外見ではなく、ふだんは外見に覆《おお》いかくされた、ゆらめく炎のようなものだといえるかもしれません。

「あたしには、そういう絵しか描けないんですよ」

ばあさんはしずかに笑って、

「これまでほんとうにいろんな顔を、あたしはいやんなるほどみてきましたから」

ローばあさんは自分の過去について、あまり多くを語りません。彼女の左足は膝《ひざ》から下がない。左耳の穴からは、いつも真っ白い詰め物がとびだしています。

先週の月曜、郵便局へいく途中公園をとおると、ローばあさんがいつもの場所で、絵を描いているのがみえました。目の前に立つ見なれないお客は、立派な背広の胸に中折れ帽を抱き、休め、の姿勢をとっています。

帰りにまた公園によると、ばあさんが珍しくひとり手も動かさず、噴水のそばにすわっていました。売店のコーヒーをもっていくと、おやどうも、と嬉《うれ》しそうにうなずきます。さっきのお客は、外国からの旅行者ですか、とぼくはたずねました。なんとなくそんな気配が感じられたものですから。

「まあ、そうだね」

ばあさんは首をすくめ、一瞬間をおいて、

「あたしと同郷なんですよ」

とこたえました。

屋台のソーセージ売り、清掃車が通りすぎる。時計台が鐘を打ちます。鐘が四つ鳴ってしばらく後、ばあさんは、三十年、いや四十年ぶりだったかしら、とつぶやきました。

「お知り合いだったのですか」

「むこうはこっちがわからなかったようだけど、ええ、よく知っていましたよ」

なつかしげに笑います。

紳士はゆうべこちらに着き、商談が思ったよりはやく済んで、少し時間があまったらしい。公園近くのホテルで、似顔絵描きの噂《うわさ》をきき、わざわざやってきたのだそうです。ばあさんには一目で相手がわかりましたが、表情にはださず、鉛筆を動かしはじめました。紳士は休めの姿勢で、辛抱強く立ちつづけています。ローばあさんは相手の顔、立ち姿、表情を眺めながら、以前とはすっかり違っているのに少し驚いたといいます。

「四十年前はね、外見こそ派手で朗らかにふるまっていたが、内心じつに気の弱い、こわれものみたいなひとだった。ところが今は見栄《みば》えどおり、こころから落ち着いて、なかからおだやかに満ちたりていてね」

上等な織りの背広、磨かれたカフス、くもりひとつない銀縁めがね。それらにふさわしい、あるいはもっと上等な空気が、彼の全身をつつんでいるかにみえたそうです。

ローばあさんは再び肩をすくめ、

「あれから、なにがあったか知らないけど」

いかにも冗談めかしたふうに、

「まったく憎ったらしいたらないね！」

そういってから、口なおしのように、さめてしまったコーヒーをすすります。

しばらく黙ったあと、ぼくは口をひらきました。さっきの紳士の似顔絵に、なにか手を加えたってことはなかったですか。ちょっとしたいたずらというか、ささやかな意趣返しとでもいったらいいのか。

ローばあさんは黙りました。

吐息のような口調で、

「ああ」

と低い声をもらす。そして、紙コップをひょいと持ちあげ、うっすらと笑って、

「高そうな結婚指輪を、輪ゴムに描きかえといてやった」

といいました。

15

プロバスケット選手のスーホン君

一九七〇年代の半ば、アメリカのプロバスケット三部リーグに、無名の中国人が参加を果たしました。名前はリン・スーホン、二十一歳。山深い青海省のうまれで、身長二メートル二十センチ、と記録には残っている。しかし当時同じコートに立ったことのあるロン・マギー氏によれば、少なくとも九フィート、ひょっとしたら九フィート半（約二メートル九十センチ）はあった、ということです。

中西部の田舎町に本拠を置く、チャールストン・バルーンズの練習用コートへ彼を連れてきたのは、バンチ・モーという名の、片目の興行師でした。西海岸の埠頭《ふとう》で、身ぐるみはがれたスーホン君を拾い、「ヒマラヤの大巨人」として売り出そうとしたところ、同業者の妨害にあって諦《あきら》めざるを得なかった（おそらく嘘《うそ》でしょうが）。ヘッドコーチのシンプソンにむかい、モーはあいた右目でぱちぱちとウインクしながら、

「お買い得ですぜ」

といった。

「こんな図体《ずうたい》だがめし代も安くあがります。きゅうりとトマトしか食わんのです」

シンプソンコーチは百ドルを払い、スーホン君をチームに迎えました。

スーホン君はバスケットボールなど見たこともありませんでした。ことばも最初はなかなか通じなかったのです。しかし、まじめで覚えのよい彼は、三日もしないうち、このゲームのおおよそを理解しました。要するに、すいかほどのゴムボールを、紐《ひも》で編んだ穴あきかごに、よりたくさん落としたほうが勝ちです。

「おれがいろといった場所にいろ」

とコーチは酒臭い声で命じました。

「走れといったら馬車馬みたいに走れ」

リン・スーホン選手のデビューは、チャールストン体育館での、シーズン八試合目のことでした。結果は九十八対七十二でバルーンズの勝利。味方の全得点のうち五十二点はスーホン選手のシュートからうまれました。

彼はただ、フリースローレーンの真横で待っていればよかった。ガードやフォワードの高々と投げあげるパスを受け取り、頭上へ軽く差しあげます。まわりでぴょんぴょん飛び跳ねる敵方選手をふしぎそうにみおろし、ボールを両手で慎重に鉄の輪へくぐらせる。バスケットのリングは、どこのコートでも三メートル五センチの高さにすえつけられてあります。スーホン君にはだらりとさがったネットに息を吹きかけることさえ容易でした。

相手のヘッドコーチは頭をかきむしり、

「ルール違反だ！ルール違反だ！」

シンプソンはにやにやとして、

「おかしなことをいうねえ」

いまも昔も、バスケットボールに身長制限はありません。バルーンズは連勝街道を走りはじめました。他の選手がボールをあげ、それをスーホン君がリングにひょいと置く、ひたすらその繰り返し。まるで煉瓦《れんが》をつみあげる左官工事のようです。彼はディフェンスには戻りませんから、相手チームの得点も伸びることは伸びます。けれどこつを覚えだしたスーホン君の勢いにはとうてい及びません。なにしろコンスタントに六十点、ときには七十点を、ひとりで稼いでしまうのです。

チャールストンの町はわき返りました。ガラス窓や自動車のバンパーは、応援用のステッカーで色とりどりに飾られます。ステッカーには風船をもって宙を舞う選手たちの姿が描かれている。スーホン君だけは、風船なしで、誇張された出っ歯でゴールリングに嚙《か》みついている似姿です。

けれど、リン・スーホン選手の表情は、どんどん沈んでいきました。チームメイトは試合後も彼に声をかけません。相手チームのコートでは、スタンドやベンチから、ひどい罵声《ばせい》とブーイングが津波のように襲います。

「恥を知れ！　恥を知れ！」

「ゲームを化け物から人間の手に戻せ！」

スーホン君は膝《ひざ》をかがめ、相手選手と競《せ》り合ってみました。わざとらしくシュートを外してみたりもしました。すると味方から鋭い目できっとにらまれ、ブーイングの波はいっそう高まります。彼は自分ひとりだけ、別のゲームのなかにいるような気がしました。

東部のある町での試合中、頭から豚の血を浴びせられたとき（「おふくろの味だろ」と観客たちは笑った）、スーホン君はロッカールームに駆け戻り、おいおいと声をあげ泣きました。コートの血を拭《ふ》きとるあいだ、試合は中断しています。スーホン君は洗面台で水をかぶると、荷物をかかえ、体育館の外にでました。もう帰らないつもりでした。

「やあ、スーホン選手だ！」

と駐車場で声がかかりました。スーホン君は身をすくめ、周囲を見回しました。誰の姿もない。と、そこへ、自動車の陰から小さなひと影が三つ、転がりでてきました。三人とも身の丈が子どもぐらいしかありません。

「いま着いたのかい？」

真ん中の男がきんきん声でいいます。

「さ、今夜もやっつけちまってくれよ！」

スーホン君は呆然《ぼうぜん》とし、視線をまわりに投げかけました。そこらの運転席、荷台、物陰などに、小さなひとの姿がのぞいています。彼の表情に気づいたさっきの男は、

「こびとは、なかへ入れてもらえないんだ」

と甲高い声でいいました。

「おれたちみんな、あんたを英雄だとおもってる。やつらがあんたに、ちび扱いされるのは、ほんといい気分だよ。新聞で点数を見返すたび、ほんとスカッとするんだ」

スーホン君のまわりでちいさな影が小刻みに手を振っています。

「あたしらはあのリングに届かないけど」

小さな女が笑みをふくんだ声で、

「あんたがその分までとってくれるんだと思ってるわ。この足りない背丈の分だけね」

スーホン選手の目つきが変わりました。かたく口を結び、小走りに体育館へと戻っていきます。この日は後半だけで四十二点あげました。ブーイングも罵声も、まるで耳に届いていない様子です。それから連日百点以上をひとりで稼ぎ、リーグ優勝を決める試合では、百五十二点という前代未聞《みもん》のスコアを叩《たた》き出しました。

翌年、一部リーグのチームへ入団することがほぼ決まっていましたが、真冬の凍り道で四人組の男に膝の骨を叩き割られました。大もうけし損なったシンプソンコーチは、中国までの旅費とわずかな給金だけ押しつけ、彼をチャールストンの町から追い出しました。

リン・スーホン君は青海省へ戻り、ちいさな果樹園を父母に贈りました。背の曲がった両親は彼に肩車され、柿《かき》やりんごをもぎりました。村人の身長はスーホン君をいれても、平均一メートル半に届かなかったそうです。

16

果物屋のたつ子さん

たつ子さんの店は、疎水《そすい》に面した四つ角に建っています。まわりには、看板をおろした空き家のバー、磨《す》りガラス窓の不動産屋。七十二歳になったいまも毎朝四時に起き、みずからトラックのハンドルをたぐって青物市場へ向かいます。孫のような年の仲買人たちが、目をこすりこすり、バナナやりんごの段ボール箱を彼女の荷台まで運んでくれる。たつ子さんは彼らに塩むすびをふるまいます。

たつ子さんはおもに、季節ごとの果物を商っている。春にびわ、夏にはすいか。秋の梨《なし》に、真冬のみかん。昔から、果物の質には、いっさい妥協しません。

ごくいいものだけをたつ子さんは選んで、店頭にならべていました。景気のよかったころには、まわりのバーには、新鮮な季節の香りがみちみちていたものです。ただ、立派な果物もいつかは腐ります。繁華をきわめた飲食街も、いまは空き家ばかりとなり、店を訪れるお客たちも、年々数少なくなっていました。二年前、駅前に全国チェーンのスーパーができました。たつ子さんは、仕入れの箱数を、それまでの三分の一に減らしました。

毎日顔を見せるお客に、ロバ顔の、不動産屋のじいさんがいます。バーの店主たちに追い立てをくらわせたことを、いまも後悔していない、と胸を張っています。

「よう、たっちゃん」

たばこをくわえながら庇《ひさし》をくぐり、自分で椅子《いす》をだして堂々と腰掛ける。

「あいかわらず、静かなもんだ」

「そうだねえ」

たつ子さんがうなずくと、

「あんた、この世でいちばん気持ちのいい音は、いったいなんだと思うね」

「さあ、なんだろうかねえ」

じいさんはうっすら金歯を見せ、

「そいつはな、隣の家の蔵が、ある日崩れおちてく音よ」

たつ子さんはクスクスと笑います。

この店に最近、若い常連がひとりできた。近所のアパートへ越してきた、短髪の学生です。週に二度、眠たげな目つきでふらりとやってきては、傷《いた》んだものの特売箱から、りんごやバナナをとりあげます。すりきれたセーターに、裾《すそ》をまくりあげた作業ズボン。ほとんど喋《しゃべ》りませんが、品物を見るその目つきから、たつ子さんには彼がずいぶん果物好きらしいことがわかりました。北国の、山の生まれかもしれない。あそこか、それともあの地方かも、などと、ひそかに想像しています。

とある夕方、たつ子さんは買い物かごをさげ、疎水べりの道を歩いていました。かごにはカマスの開きがはいっています。初夏の夕陽がちろちろと水面をなめている。小さな橋の上を、ゴム製のサッカーボールがてんてんと転がってくる。たつ子さんは苦笑し、ボールのあとを追って、下駄《げた》をひきずり、アパートの自転車置き場にはいっていきました。

ボールはすぐに見つかりました。大きな袋に当たってとまったのです。たつ子さんはしばらくその場に立ちつくし、足下のものを見つめていました。子どもが追いついてきて、決まり悪げに顔をうかがう。すぐにボールを拾いあげ、疎水のほうへ駆けていきます。

翌日の昼間、いつもの風体でやってきた学生に、悪いけれどもう、あんたに果物は売れない、とたつ子さんはいいました。

「たべやしないのに」

冷静な口調ですが、声はわずかに震えています。

「買ってくれたものをどうしようが、お客さんの勝手だって、それはそうかもしれませんがね。でも、かわいそうですよ。まるで手をつけられないまま、あんなにひどく腐っちまうってのは、果物たちにしたらね、ほんとうに無念なことだったと思いますよ」

しばらく黙っていた学生は、苦しげに息をついて、しずかに話しはじめました。彼は画学生でした。ここしばらく、朝な夕な、果物のスケッチにとりくんできたのです。アルバイトに出かける以外、ほぼ一日部屋にこもり、絵の具にまみれて過ごしてきた。

「でも、奥さん、描いた果物は、全部たべていました。絵に写したあと、すべて平らげていたのです。ここの果物はどれも、ほんとうにおいしかった。早く描きあげて、それを口にいれるのが、筆を動かしながら楽しみでならなかったほどです」

四日前、画学校で合評会がありました。講師や先輩たちは、古くさい彼の絵を鼻で笑いとばしました。「編み物教室の隣で描いているような絵」というものもいた。その夜アルバイト先で、画学生は酔客を殴りました。非は客のほうにあったのですが、間の悪いことに婦人警官が三人、奥のテーブルで愚痴をこぼしあっている最中だった。

彼は拘留され、アルバイトをくびになり、昨日ようやくアパートへもどりました。蒸し暑い部屋へはいると、置きざらしの果物から、煙のあがっているのが見えます。よくよく見ると、それは蠅《はえ》の群でした。

「ひどい光景でした。蠅は果物だけでなく、あらゆるものにたかっていました。絵の具やカンバス、鏡、ぼく自身にも。一刻も早く捨てなくちゃと思った。ぼくは、片っ端からゴミ袋に詰め、窓から投げ捨てたのです。ほんとうに申し訳ありません。自分のやったことに吐き気がします。奥さんのすばらしい果物を、あんなふうに捨てるだなんて」

たつ子さんはしばらく黙っていました。そして席を立つと、奥の業務用冷蔵庫から、大きなグレープフルーツをとってきました。ごとくのような爪《つめ》で、さくさくと剝《む》く。これまで何千、何万個の果物を、大切に扱ってきた分厚い爪で、あっという間に剝いてしまう。

「さあ、おたべなさい」

薄皮を割り、たつ子さんはいいました。

「たべて、腐ったもののことは忘れちまいなさい。いまどきのグレープフルーツは、まったく目がさめるような味がしますよ」

画学生は頭をさげ、指を伸ばしました。ひとつ口へ入れるや、みずみずしい香気とともに、明るい霧のような笑みが、顔全体にひろがっていきます（おいしい果物をたべたなら誰もの顔がそうなる）。

画学生は翌日から、店先にイーゼルを立ててスケッチをはじめました。たつ子さんがそうするよう強く主張したのです。

「わたしは、絵のことなんてちんぷんかんぷんだけど、果物のことならわかる」

たつ子さんはいいました。

「果物の色は外で、太陽に当てて見るのがいちばんだ。あんなじめじめした部屋の暗がりじゃあ、腐ったような色にしか見えないよ」

「じめじめで悪かったな」

不動産屋のじいさんが脇《わき》で口をとがらせ、

「そういう文句なら、大家にいってくれ」。

盆休みに、画学生は帰省することになりました。たつ子さんのにらんでいたとおり、北国のうまれでした。冬は雪にとざされ、りんごの産地としても有名な山村です。学生は微笑《ほほえ》みながら、額にいれた絵を一枚、たつ子さんにプレゼントしました。そして古びたリュックを背負い、旅だっていきました。

渡された絵を胸元でちらとのぞき、たつ子さんは唖然《あぜん》となりました。数日前にしあがったというそれは、果物だけの絵ではなかったのです。

「よう、たっちゃん。俺にはわかるぜ」

じいさんはにやにやといいます。

「そこに描いてある絵がどんなものか、俺にはだいたい見当がつく」

たつ子さんは、さくらんぼのような頬を揺らせ、照れくさげに笑いました。そして、ゆっくり席を立つと、布につつまれた画学生の贈り物を、レジのうしろに立てかけました。

17　ポリバケツの青木青兵

青木青兵は生ゴミ担当のポリバケツです。ゴミの分別うんぬんがいわれだすよりずっと前から、横丁の角に立っているのです。名前の由来は横腹に、堂々たる達筆でそう書かれてあるから。書道の先生をやっていたもちぬしは、八年前の正月、もちを気管に詰まらせ亡《な》くなりました。それ以来「青木青兵」といえば、町内ではこのゴミバケツをさします。

昔かたぎの青木青兵は、曲がったことが大きらいです。コンビニ弁当の箱など投げ込まれそうになると、

「おうっと、あんた、分別してくれ！」

ばたばたと青いからだを揺らせ、

「プラゴミはほら、隣の隣だ。それに不燃ゴミは水曜だろ。面倒でも出直してくるこ

った」

それでもプラゴミが投げ入れられると、青木青兵はわざと横倒しに転がって、ペットボトルや弁当箱を路上に放りだす。近所のひとびと（人間）はいい顔をしませんでしたが、バケツ仲間からは、青木青兵は非常に尊敬されていました。また、いつもなかのゴミを取り出しやすく整頓《せいとん》していたので、区の収集業者にもずいぶん好かれています。

ゴミバケツの間では、昔から生ゴミバケツがもっとも栄誉ある仕事とされてきました。若い新入りや非力なものは、ペットボトルや空き缶など、乾いた軽ゴミを任されることが多い。燃えたり腐ったり、猫やカラスに狙《ねら》われたりする生ゴミは、なまなかなバケツでは扱いきれないのです。かれこれ二十年近く生ゴミを扱ってきた青木青兵には、見るものの居住まいをただすような、堂々たる威厳が備わっていました。ただ、昔ながらの気質はこの町内でもじょじょに失われつつあります。あたりではマンションの新築がつづき、見なれぬ風体の輩《やから》も数多く行き交っています。

青木青兵のなかに、子犬が一匹捨てられたのは晩春の宵のことでした。不届きものは闇《やみ》のなか、バケツのふたをぎゅうぎゅう堅く締めこみました。青兵は歯がみし、走り去る影をじっとにらんでいました。腹の子犬はきゅうきゅう鳴き声をあげています。

青兵は勢いをつけ、青いからだを横倒しにしました。バタン！　ふたがとれない。起きあがってもう一度、バタン！　今度はうまくいった。走りでた子犬は一散に裏路地へかけこんでいきました。転がったふたをとり、青兵はやれやれとつぶやきました。脇腹《わきばら》に少し鈍い痛みを感じています。

翌朝、近隣のひとびとは青木青兵の異変に気づきました。太った主婦があげつらうように、青いバケツを何度も指さします。隣組の組長がやってきて、白いステッカーを青兵の横腹にぺたんと貼《は》り付けました。自分ではよく見えませんから、

「よう、こいつはなんだい？　いったいなんて書いてあるんだね？」

青木青兵はまわりのバケツにたずねました。しかし仲間たちはさっと目を伏せ、青兵の声がきこえないふりをしました。

トラックでやってきた収集業者は、おや、という風に目をみはった。首を左右にふると、からの青兵をもちあげ、そのままトラックに放りあげました。ステッカーには赤い文字で「埋め立て」とありました。たった一筋ついたひび割れが、ゴミバケツの青兵自身を、埋立ゴミに変えてしまったのです。

埋立地では、何台ものトラックが街じゅうから集めたゴミをぶちまけていきます。青兵もそのなかにいました。気分はふしぎと落ちついていました。長年ゴミを扱って

きた青兵には、いずれ自分にふりかかるさだめがわかっていたのかもしれません。まわりの古ラジオ、パイプ椅子《いす》、調理台などは、青兵を見てあざけるように笑いました。青兵は素知らぬ顔で、流れる雲をぽかんとみあげています。

二年ほど経《た》つうち、埋立地の青兵はカモメたちの巣になりました。バケツの底はじんわりと暖かく、夜風をやりすごすのにちょうどいい。なかでも一羽、とりわけ大きな片目のオスが、青兵の親友になりました。

「青兵さん、あんたまさかこんな場所で、一生を終えるつもりじゃなかろうね」

目をぱちぱちさせてカモメはいいます。

「世が世なら大勢の上に立ってる人物だよ」

「よせやい。おれなんざもう役なしさ」

青木青兵は苦笑し、

「さ、早く謎《なぞ》かけのつづきをやろうぜ」

その夏沿岸地方をおそった台風はものすごいものでした。三十棟の屋根を吹き飛ばし、船は五十艘《そう》が沈みました。脆弱《ぜいじゃく》な地盤の埋立地は、根こそぎ大波にさらわれました。

晴れ渡った海原に、青いポリバケツだけがぷかぷかと浮かんでいます。波をかぶり、海中に沈みそうになると、カモメたちが何羽も舞い降り、青兵をくわえ水面へと引き上げます。まんなかで指揮をとるのは片目のオスです。やがて一羽、また一羽と、若いカモメたちはえさを求めて去っていきました。

「もういい！　おまえも行ってくれ」

空をみあげて叫ぶ青兵に、片目のオスは、

「あんたの行く末を見届けてからでなけりゃ、俺はどこへも行かれない」

そのうち空腹のあまり、カモメはバケツのなかへ落下しました。青兵は波が入らぬよう懸命に身を立て、激しい海流にあおられながら、ぐんぐんと流されていきました。

そうしてたどりついたのが、南国の浜。島じゅうに果物がなり、磯《いそ》にはサザエやアワビが敷きつめられた、人知れぬ楽園です。ひとびとは王様のため、島の中央に宮殿を建てていました。流木と石ころでできたこの宮殿を、王様はたいそう誇りに思っていました。

若い漁師が浜に転がるバケツを見つけ、王の御前へもっていきます。なんという深い青色だろう！　と王様はつぶやいた。そして「青木青兵」の文字をじっと見つめ、

「これぞ海のたまもの、この模様こそ海神の御ことばを写したものだ！」

平伏する漁師をかたく抱きしめました。

島にはこれまでゴミバケツが一個もありませんでした。というより、そもそもゴミという考え自体、存在しなかった。果物のかすや貝の殻は、そこらに穴を掘って埋めておけばいい。かぐわしくおおらかな空気が、島のあらゆる所にたちこめています。

毎朝、五人の従者が青いバケツをかかえ浜辺へと出向きます。動物の骨、ガラスのかけらやさんごなど、あらゆる漂着物を青兵に収め、王様のもとへと運んでいきます。それらは海神よりの下し物とされ、すべて宮殿をかざる宝となるのでした。

片目のカモメが空から声をかけてくる。

「な、青兵さん。あんたはやっぱりただのバケツじゃなかった」

嬉《うれ》しそうに羽ばたきして、

「いまや宝をいれる、宝バケツだ!」

青木青兵はまぶしげに空をみあげ、

「おちぶれちまったなあ」

と苦笑しました。

「そこいらじゅう生ゴミだらけなのに。これじゃまったく、ゴミバケツにうまれた甲《か》斐《い》がないよ」

18

犬散歩のドギーさん

街のひとびとは彼のことを「枯れ枝ドギーさん」と呼んでいます。あだ名の通り、ひょろひょろに痩《や》せていて、髪もひげも伸ばし放題。テント生地のようなコートを引きずり、ぞろぞろと川土手を歩きます。川べりには有名な音楽学校があり、フルートのケースや楽譜を抱えた姿勢のいい女学生が、おおぜい橋を渡っていく。土手に座ったドギーのほうへ、彼女らはけして視線を向けません。ドギーのほうでも、朗らかなはなし声が川風に乗り渡ってくると、そっと首をすくめ、痩せた背を丸めて橋の下へかくれます。

彼にはひとつだけ特技がありました。犬の気分が、うっすらとですがわかるのです。たとえば、引き綱をつけられた飼い犬を街角で見かけたりすると、

「あ、腹が寒いんだな」

「あっちのほうへ歩いていきたいのか」

遠目からでも、ドギーには読みとれるのです。犬のほうでもドギーを見かけると、まるで主人に向けてするかのように、嬉《うれ》しげに口を開き、くるくる尾を振ります。

そのうち彼に、犬の相談をもちかけるひとがあらわれた。ためしに散歩を任せてみると、どんな気のふさいだ犬でも、親きょうだいに会ったようにはしゃぎます。ドギーのひと撫《な》でで、目の輝きがちがってくるのです。彼が川土手を連れ回すだけで、老犬の毛並みは子犬のようによみがえり、病気でねじれた足首もふしぎと元に戻る。

飼い主たちはやがて、週に一度ずつ、それぞれの犬を一時間ほど「枯れ枝ドギーさん」へ預け、体調を整えてもらうようになりました。ドギーはむろん、犬と話せるわけではありませんが（人ともあまり話さない）、元来犬好きですから嬉々《きき》として引き受けます。散歩に連れだす犬は、一週間で五十匹を越えました。犬の癖、好みの散歩コースなど、脂《あぶら》じみた頭のなかに全部はいっています。

ただし、たとえ愛くるしいテリアを連れていても、音楽学校の女学生はみな、やはりドギーに近寄ろうとしません。まるでそれぞれの犬が、ぼろ布を引きずっていくかのように、橋の上から無視しています。

ある日、土建屋の奥さんが、玄関先でドギーを呼びとめました。

「あたらしい犬を飼ったのよ」

見せられたそれは、手のひらに載るほど小さく、黒くほつれた体毛をふるわせ、じっとドギーを見ています。

「これ、犬ですか？」

ドギーは思わずいいました。

「なんだかクモみたいだ」

「ずいぶんお高いの。チワワなら十匹は買えるのよ」

奥さんはじゃらじゃらとネックレスを鳴らし、そうして、引き綱を渡しました。

「まだ六ヶ月。名前はスモモちゃん」

はじめは川土手までいかず、児童公園までをゆっくりと歩きました。子犬のスモモはとてもかしこく、ドギーの真横にぴったりとついて、周囲をすばやく見渡しています。ドギーはなるほどな、と感心しました。高いからいい犬なんじゃない、いい犬だから高いんだ。小股《こまた》で駆けながらスモモはドギーを見あげ、黒い毛のなかからぺろっと舌を出しました。

周知の通り、犬はひとよりずいぶん早く年をとります。十歳を過ぎれば老犬、十五年も生きれば頭の中はもうろうと霧がかかったように霞《かす》んでくる。ドギーがやっているのは、その霧を払うことでした。うまれたての、真っさらに晴れた気分に、犬を帰してやるのです。どういうわけだかドギーには、易々《やすやす》とそれができました。自身は内も外も、古い埃《ほこり》がつもっているようなのに、犬は彼とともにさえいれば、勝手に若返っていくのです。五十余匹の犬は風邪ひとつひかず、わんわんと元気に、凍《い》てつく冬を越しました。

そして四月初旬のある朝。

商店街の店主が何人か、川土手につくったドギーの小屋に駆けこんできました。

「起きてみると犬がおかしい」

肉屋が息せき切っていいます。

「泡を吹いて跳ねている。手がつけられん」

他にも次々と、真っ青な顔の飼い主があらわれます。綱をちぎり、杭《くい》を引き抜き、逃げ出した犬さえいるらしい。ドギーはコートをかぶり外へ出ました。任せてください、と小声でいい、大股に土手をのぼっていきます。

犬たちは工事現場に集まっていました。金網のかかった土管をにらみ、気が触れたように吠《ほ》えています。ドギーに気づくと何匹かはおろおろとした目つきになりました。

ドギーはそこに集った二十匹をゆっくりと見やります。すべて、雄犬ばかりです。

土管を覗《のぞ》くと、黒い一歳犬が、潤《うる》んだ目つきで震えていました。はいってきたドギーに牙《きば》をむき、ぐるぐるとうなります。

スモモは、はじめて自分が迎えつつある発情期に混乱し、怯《おび》えきっていました。土管にたちこめた雌犬のにおいに、ドギーは思わず唾《つば》をのみます。高い犬はこういう点でも普通とちがうらしい。しかしまあ、なんてにおいなんだ。ドギーはめまいをこらえ手をのばします。鋭い牙がしがしと掌《てのひら》をかむ。血まみれの指で撫でつけるうち、スモモは徐々におちついてきました。そっと胸に抱きあげ土管を出ます。

雄犬たちは半狂乱になってドギーにまとわりつきました（移り香のせいです）。膝《ひざ》やふくらはぎを股にはさみごしごしとこする。鈴なりの犬を引きつれ、ドギーはもうろうとした頭で、土建屋の家へ向かいます。スモモを死なせたくないなら、一週間は外へ出さないよう、珍しく強い口調で奥さんにいいつけます。

途中でにおいを落とそうと、公園の公衆便所に立ち寄りました。水道に近づき、ふと鏡に目をやる。何年かぶりに見る鏡。ドギーは目を大きく開き、まじまじとその中を見つめます。

やおらに床からガラスの破片を拾う。長々と伸びた髪を根元からざくざくと切ります。やがて頭はロック歌手のようになった。つづけてひげも剃《そ》ってみます。痩せてはいるが血色のいい、ハンサムな顔があらわれました。鏡をまじまじと見つめながら、枯れ枝ドギーは、とうに忘れていた自分の年を思いだしました。この春、たしか二十五歳になるのです。

川土手に戻ると、ちょうど通学時間で、女学生たちがそれぞれの楽器ケースを抱え、橋を渡っていくのが見えました。ひとりがふいにふりかえる。隣の友人を肘《ひじ》でつっつく。ふたりはこちらを見て、これまでドギーがみたことのない表情を浮かべました。まるでそこに花が開いたようです。真っ赤になったドギーは、思わず右手をさしあげ、ゆらゆらと彼女らに向けて振っていました。

女学生がくすくすと笑い、口に手を当てながら、学校のほうへと駆けていきます。他の女学生もふりかえり笑っている。春の陽ざしを背中に受けながら、まるで果物が転がっていくみたいだ、とドギーは胸のうちで思いました。そして土手に腰掛け、やがて学校から聞こえだしたコーラスに合わせ、低い声でハミングをはじめました。

19　パズル制作者のエドワード・カフ氏

今年二十八歳になるエドワード・カフ氏は、業界ではまだまだ駆け出しの、クロスワード・パズル制作者です。三日にひとつパズルをつくっては、業界のエージェントに渡しています。エージェントのもとには、アマチュアの投稿作品を含め、日々何十というパズルが寄せられます。それらが地方紙や、お菓子の袋など、多くの媒体に流されるわけです。新聞社や雑誌社から直接注文を受けるのは、この道何十年というベテランがほとんどで、そういう制作者は、業界では畏敬《いけい》の念をこめ「パズルマスター」と呼ばれています。

カフ氏のおもな得意分野は歴史、地理、それに音楽。スポーツはまあまあ、台所まわりや最近の風俗については、あまり得意とはいえません（若いパズル制作者におおむねみられる傾向です）。ただ、パズルの買い手が定期的につき、それで生計も成り

立ちはじめたというのは、エージェントにいわせれば、

「マスターの列に並ぶ整理券をもらった」

ということになる。

「しかもエドワード、私のみたところじゃあ、君の券はずいぶん番号が若いようだぞ」

契約を結んだとき、エージェントはカフ氏にワインを一本くれました。カフ氏は礼をいって腰を折ると、ポケットからノートと鉛筆をだし、ラベルに並んだ見なれないことばを、いちいち丁寧に書き留めました。

一流の制作者がつくったパズルの特徴とはなにか。逆説めいていますが、それは匿《とく》名《めい》性が徹底されていることです。わざとらしさがなく、適度にむずかしい。使われているキーワードは、そこらの奥さんや子どもが、ふつうに使っていそうなものばかり。けれど、いざ問われるとなかなか出てこない、そういうワードが並んでいる。そして、最後までマスが埋まると、泡のような爽快感《そうかいかん》が味わえる。

カフ氏は、自分がいつからクロスワードにひかれはじめたか、よく覚えていません。なんだか、生まれてこのかたずっと、パズルを解いているような気さえしている。大学時代の友人から、お前はいつも答えのないパズルみたいに話す、といわれたことがあります。育ての親である伯母は、しょっちゅう郊外から電話をかけてきます。そし

て、次の休暇には必ず帰省するよう、そのときはこざっぱりしたなりでネクタイを締めてくるよう、カフ氏にいいつけるのです。

ある朝、電話が鳴りました。受話器をとると相手はいつものエージェントで、

「エドワード、朝刊のパズルをみたかね」

いつになく興奮した口ぶりです。

カフ氏は受話器を置き、朝刊の娯楽面をめくりました。隅には、おなじみのパズル欄。エドワード・カフ氏は、ひと目でぴんときました。このパズルはどうやら、特別なものらしい。鉛筆をなめ、問いのことばにいざなわれるように四角いマス目を埋めていきます(テーマは「野鳥」)。そして五分後、最後のマスから鉛筆をあげたカフ氏には、そのパズルが特別どころか、とんでもないものであることがわかりました。それは「完璧《かんぺき》」なクロスワード・パズルでした。

カフ氏はエージェントの事務所へ出向きます。若い同業者だけでなく、有名なパズルマスターも顔をみせ、黒ビールの杯をすすりながら、朝のパズルについて、互いに意見を述べあっています。

一般にクロスワード・パズルでは、どこかに「ねじこんだワード」がはいっているものです。どんな熟練の制作者がつくっても、テーマに沿ったことばを選んでいるう

ち、交差点の数カ所に必ず、不自然なつながりが生じてしまうのです。素人《しろうと》にはともかく、プロにはひと目でわかる。そして、朝刊のパズルには、一切それがありませんでした。野鳥の名や地名が、風に飛ばされ、はらはらと地面に落ち、それがたまたま、パズルの形につながっていた、という感じなのです。しかも、つかわれているワードはすべて、小学生の少女でも知っていそうなものばかり。

「信じられん！」

「ここで、シジュウカラとは！」

翌週のパズル欄にも、「完璧なパズル」は載りました。テーマは「戦争」。その翌週は「古典詩」、つづけてさらに「天体」。パズルのプロはみなうっとりとなった。一般愛好者のあいだでも、評判が高まってきます。自然、制作者は誰なのか、という話になる（イニシャルでBとだけあった）。新聞社に問い合わせが殺到しました。編集長がいうには、自分たちにもわからない。B氏はパズルと振込用紙を郵送してくるだけで、なんのプロフィールも教えてこないのだ、と。

そこらの酒場や喫茶店で、B氏の正体について議論がかわされるようになりました。コンピュータ？　いや、機械がつくったのだとけしてあんな風な温かみはでない。チェスプレイヤー？　設計技師？　それとも、東洋の隠れた思想家だろうか？

謎《なぞ》のパズルマスターB氏は、けして豊かな語彙《ごい》をひけらかしているのではありませんでした（底なしのようでしたが）。彼のパズルは単純で、結晶のように堅固な、構造をもっていました。ワードのそれぞれ一個ずつがいきいきと光り、すべてが合わさって、完全な全体をなしている。光を浴びた、森の樹幹のように。「編み物」「有袋類」「地震」「玩具《がんぐ》」……。おとなから子どもまで、毎週彼の作品を心待ちにし、家族のいるものは家族みんなで、ひとりものは森を歩くように、ささやかなパズルの時間に浸りきるのでした。

五月はじめの連休、エドワード・カフ氏は郊外へ静養に出かけました。ひさしぶりに会う伯母は丸まると太っている。カフ氏のもじゃもじゃ髪をみて顔をしかめます。

「伯父さんは？」

「いつもの蜂《はち》小屋ですよ」

田舎風の屋敷の前庭に、伯母とその友人たちはテーブルを出し、ビスケットをかじっています。いとこたちは皆結婚し、遠い都会で銀行やら法律事務所に勤めています。伯母の小言と、老婦人たちのにやにや笑いから逃れるように、カフ氏は屋敷の裏手に回りました。がっしりした古い養蜂《ようほう》小屋から、ぶんぶんと遠鳴りのような音が響いてきます。

伯父はカフ氏を認めると、照れくさげに手をあげました。小瓶から匙《さじ》でハチミツをすくい、戸口に立つ甥《おい》にすすめます。ハチミツは懐《なつ》かしい味がしました。伯父の膝《ひざ》の上で、幼いころ味わった甘みがよみがえります。そして、温かい声で教わったことわざや警句、船乗りの冗談、なぞなぞなども。

格子《こうし》状に組み合わされた箱の前で、伯父はにっこりと笑いました。

「さあ、伯母さんたちのところへ、瓶ごともってってやっておくれ」

カフ氏は整然と並ぶミツバチの巣箱をじっと見つめ、そして前庭に戻りました。しばらく経《た》つと、身なりを整えた伯父が玄関から出てきました。目深《まぶか》に帽子をかぶり、

「ちょっと出てくるよ」

軽く足をひきずって門を出ていく姿を、伯母は目で追いながら、

「ここ三月、やたら出かけてばかりでねえ」

呆《あき》れたように頭をふって、

「養蜂クラブの会合とかいって。近所の爺《じい》さん連中で、まったくなにをやってるのやら」

婦人たちはハチミツだらけの口で、くすくすと笑います。頭のなかにさまざまな想像の網をめぐらせながら。エドワード・カフ氏は吐息をつき、前庭の切り株に座りました。そして、おさない頃そうしていた通り、クロスワードのポケット本に目を落としました。

20 棟梁の久保田源衛氏

大工さんの大半は宇宙人です。太陽系の外からやってきたふしぎな生命体が、ひとのかたちでこの星に定住し、かんなやげんのうの手さばきを学びとったのが、つまりは大工さん、というわけなのです。

彼らはいったいなにをしているのか。地球をのっとるとか、電波で支配するとか、そういう悪い心根はまるきりもっていません。彼らは大工です。大工ですから、うちを建てます。うちを建てるには、とんかんとんかん釘《くぎ》をうちますが、そのとんかんが、遠い母星への、通信文になっているのです。

「元気だ、とかさ。ふつうだよ」

友人のうちを普請《ふしん》中、棟梁《とうりょう》の久保田氏がたばこをふかしふかし教えてくれました。

「孫ができただとか、温泉いったとか」

家々の屋根の向きや塀の並べかたも、母星からみて、なんらかのメッセージが伝わるようにしてあるというから驚きです。高いところに登るのも、なるたけふるさとを近くに感じていたい、という意志の現れでしょうか。

「ばかが多いだけのことよ」

と棟梁は笑っていましたが。

彼らはこの星では、ひとのかたちをしています。その体型しか、とれないのです。うまれたままの姿になると、地球上には数秒しか存在できない。いのちを失うというより、次元を破ってあっちへいく、というのですが、このへんは正直、ぼくには理解できません。

「おとついこんなことがあったよ」

棟梁は吐息をついていいます。

「おれの弟が梁《はり》の上で弁当を食ってた。昼休みだった。からすがまとわりつきやがる。手ではらうと、ばたばた騒いで、羽が道具箱に当たった。すると箱が梁から落ちた」

普請中の家の前に、ランドセルを背負った女の子が歩いていました。かなづちやかんなが真上からふってきます。棟梁の弟は迷わずとびつきました。ぐにゃりとした、なんだかわからないものに姿を変え、空中に舞い散る大工道具をさっとつかみました。

女の子はきょとんと真上をみあげていました。弟の姿はありません。道具ごと次元を越えたのです。

「まあ、筋のとおった男だったよ。男とか女とか、おれたちほんとはないんだけど」

煙をぷかりと吐き、棟梁はいいます。

このように彼らには立派な人物が少なくない。将来大工になりたい、とアンケートに書く子どもが多いのも、その辺のことを、うすうす感じているからなのかもしれません。

21

サラリーマンの斉藤さん

　サラリーマンにとってのネクタイは、所属する部隊の軍旗のようなものだから、斉藤さんはいつもネクタイをしめるとき、ぴんと背筋が反りかえるような気がします。

　背広のラペルには、鳥をかたどった社章が輝きます。

　社長は真っ白いひげをたくわえた、見上げるような背丈の老人で、彼の声量たるや、サラリーマン五十人の怒号に匹敵するといわれている。斉藤さんは二十年前、仕事はじめの席で、社長から直接、辞令を手渡されたことがあります。それがなにより誇りです。間近にみる伝説の創業主には、凪《な》いだ大海原のような雰囲気があった。いまにも吸い込まれそうにおもったよ、と、斉藤さんはときどき同僚に、吐息まじりでそうはなすのです。

　斉藤さんは、自分の会社が何の業種なのか知りません。知りたいとおもったこともありません。社長が決め、上司が命じる日々の業務に、ただひたすらわが身をなげうつ。それが最大の喜びだと、こころからおもってきました。おれはサラリーマンだ。誇りたかき月給とりなのだ。会社の目的など、自分の考えるようなことではない。自分は日々、自分のやるべきことだけをやる。

斉藤さんには商売敵がいませんでした。商売相手だって、いるものかどうかよくわかりませんでしたし、なにを売っているのやら、そもそもなにか売っているのかさえ、判然としなかったのです。毎月給金は運んでくるのですから、家族に文句はない。ただあるとき、反抗期だった次男が、とうさんの仕事には意味がないね、そういうと、斉藤さんは黙ったまま、息子を殴りつけました。次男はすぐ渡米し、いまだ帰らないそうです。

今年の春、社長が急逝しました。社長机で目をあけたまま冷たくなっていたのです。斉藤さんら全員、黒背広に、黒いネクタイをつけました。往時二千人はいたはずの社員は、いつのまにか二十人足らずに減っていました。しかも皆、ひどいおいぼれです。やせた胸元にくすんだ社章がぶらさがっています。

二十人の老骨サラリーマンが、巨大な棺《ひつぎ》をかかえ、大通りを練り歩いていきます。薄い胸をはり、たしかな発音で、長い長い社歌をたからかに歌いながら。最新型の乗用車が迷惑げにクラクションを鳴らす。外国人がいぶかしげに振り返ります。斉藤さんらは進軍の歩を休めない。桜の舞いおちるビル街を、まっすぐにつき進んでいく。彼らの姿を見たものは、その後誰ひとりいないとのことです。

22

神主の白木さん

神主さんの仕事は自宅でこそたいへんです。神社ではごく静かな八百万《やおよろず》の神々が、彼のうちでは、うっぷん晴らしのように、様々なことを要求してくるからです。たとえば床の神は「ここ、しょうゆこぼれてる。拭《ふ》け拭《ふ》け！」。横倒しになった文庫本の神は「おれの上に辞書なんか乗せるな、重い！」。お風呂場《ふろば》の砥石《といし》の神は「寒い、冷えてる！　こたつにいれてあっためろ！」

土瓶、座椅子《ざいす》。ガスコンロにスキー帽、あらゆるものに神様はいます。彼らの姿はむろん、修行を積んだ神主の目にしかみえません。なので近所のひとびとは、いやや神主さん、なんて身ぎれいな暮らしぶりだろう、などと口々に噂《うわさ》します。けれどその裏で、神主は必死なのです。たまの休み、娘夫婦が孫を連れやってきたりする。彼らが帰ったあと、さんざ散らかったうちのなかを、神様たちのブーイングを浴びながら、神主は腰を折って、いちいち片付けていくのです。

神主同士、年に何度か、集まりあうときがあります。ここでなら、どんなあらぶる神も安らかになる巨大な神棚の下で、三、四人が車座になって、杯を交わしあうのです。

「うるさくて先月、耳栓を買ったのですが」

四十過ぎの若い神主が苦笑して、

「息がつまる、息がつまる！　いきなり耳栓の神が叫びはじめましたよ」

六十がらみの白ひげ神主、白木さんはうなずき、

「あれらすべて、わしらにしか話しかけられないわけでね。そういうのが何百、何千年もつづくってのは、きっと、たまらん気持ちだと思うわけだ。な、たがいにがんばろうや」

集会から帰った白木さんは、灯りをつけ、服を脱ぎはじめます。少し酔っているせいで足下がおぼつかない。靴下をとり、股引《ももひき》を脱ぎかけたところで、よろよろとふらつきます。足をふんばったとたん、

「ビリッ！」

神主の耳の底に、かすかな悲鳴が残りました。古びた股引は、股《また》の部分でまっぷた

つに破れていました。居間のゆかた、どてらなどから、しくしくと泣き声がもれてきます。

翌朝、神主は股引をていねいにたたみ、井戸水を頭からかぶったあと、白装束にきがえます。うやうやしく股引を捧《ささ》げもち、神社の奥に進みます。奉納をはじめる神主の姿を近所のひとがみていました。こんなことがよくあるせいで、あのひと、身ぎれいにしているが、相当の変人だよ、といわれるのです。

23 雨乞いの「かぎ」

その砂漠の村で、雨乞《あまご》いは、昔からみなの尊敬を集めてきました。仕事というより一種の芸能、スターといったほうが近いかもしれない。雨乞いの家に生まれないかぎり、けして雨乞いにはなれません。幼いうちから研鑽《けんさん》を積み、地と空の間に身を渡す絶妙なバランスを、からだの深い芯《しん》に、覚え込まさなければならないのです。

村のことばで「かぎ」という名をもつその男の子は、まあまあな雨乞いの家の、五男として生まれました。兄のうち二人は、赤ん坊のうちにキツネにもっていかれ、あと二人の兄は、年少のころから、乞い手としての才覚を示していました。「かぎ」は名前のとおり、両膝《りょうひざ》がうまれつき、がに股《また》にねじまがっていましたので、父親はもちろん、周囲からもまるきり期待はされず、本人もそれを感じてか、多少引っ込み思案な性格に育ちました。

近くのため池から村までは、用水路がひかれてある。よほどの日照りつづきでもないと、ベテラン雨乞い師の出番はありません。ただ、いくら水の心配がなくとも、空の機嫌をそこねないよう、村からの雨乞いはたえず行っておく必要がある。広場の石舞台で暦にあわせ、日常的に雨乞いの舞いを踊るのは、いまだ年若い、新人たちの役目となります。

若い雨乞いたちは、それぞれの技を舞台上で競いました。技とは、頭の角度や静止した姿勢の見事さ、宙返り、激しい跳躍の様子などのこと。よくいえば独自性のある演技、悪くいうなら勝手気ままな作法での雨乞い。ベテランともなると、だいたい誰もが、同じような型を演じるようになります。それは荘厳《そうごん》で、効力も高そうですが、若い者の目にはいかにも退屈に映る。刺激を求める男女は、年若の雨乞いたちに熱狂します。砂漠を越えた隣村から、わざわざ見に来る者さえいる。

「かぎ」の長兄と次兄は、独自の技を磨くいっぽう、古い型の習得にも余念がない、模範的な雨乞いでした。おまけに見栄《みば》えがとてもいい。老若《ろうにゃく》を問わず、ふたりの舞台にはおおぜいの見物人が集まります。あるとき、彼らが伝統の型でゆっくりと踊っている最中、星空に真綿のような雲がかかり、雨期でもないのに、ぱらぱらと小雨が降ってきた。村じゅうのものがたまげました。よほどのベテランでさえ、こんな真似《まね》はそうはできません。

兄弟はその日から、「雨雲に気に入られたもの」を示す、本物の雨乞い衣装を許されました。「かぎ」には、触れることさえためらわれましたが、やさしい兄たちは小屋のなかで、「かぎ」にもこっそりと衣装をかぶせてやりました。おずおずと踊る弟に、ささやかな拍手まで送ったのです。まじないに関《かか》わるしきたりを、兄弟は多少、甘くみていたかもしれません。しきたりを破るものに、しきたりは必ず、苦い返礼をよこします。三人がらくだを連れ、村はずれの荒れ地を横切っていく最中、彼らの足もとで何かがカチリと音をたてた。轟音《ごうおん》が村にとどろきました。兄たちのからだは粉々になって、砂漠じゅうにちらばりました。

「かぎ」はねじまがった両膝から下を失いました。らくだは無傷でした。

「かぎ」はほとんど喋《しゃべ》らなくなりました。両手に靴をはめ、バケツや麻袋を背負い、えっちらおっちらと砂山を行きます。雨乞い中の石舞台へは、近づくことさえ許されません。よしんば許されたにせよ、即座に石くれで追い払われたことでしょう。しきたりを侵し、人気者の兄たちを粉々にした「かぎ」は、近隣のひとびとからひどく憎まれていました。

「あいつが粉々になればよかったのに」

堂々とみながいいます。「かぎ」のこころはばらばらになりそうでした。兄たちの踊りを思い返しながら、ひとより二倍、三倍の積石を運び、昼間の舞台を熱心に磨きます。子どもたちは家畜の糞《ふん》を投げつける。父親はらくだを連れ、村から立ち去りました。そうして何年かが過ぎていきました。

年のはじめに予兆はあった。渡りの時期でもないのに、鳥たちがいっせいに北へと飛んだのです。年寄りたちは青ざめました。日々の給水量をできるかぎり減らし、池の底へは秘蔵の玉石を投げ込んだ。けれど、毎年春にやってくるはずの薄雲が、六月になってさえ、いっこうに姿をみせません。そのまま夏が来ました。気温は記録的に跳ねあがりました。太陽は例年よりいっそう時間をかけ、じりじりと空をよぎっていくように見えました。らくだが倒れ、ひとびとは喉《のど》をかきむしる。ため池は干上がりかけています。年寄りたちは、これまでにない大規模な雨乞いを催すことにしました。ベテランたちはもちろん、若手や子どもまでが総動員され、石舞台の上に並びました。目を見はる壮観です。何十人もの雨乞い師が、それぞれの踊りを無軌道に踊りはじめる。村人は興奮し、砂地で飛びはねます。

自然はやりすぎを嫌います。押しつけがましいおおげさな雨乞いに、砂漠の空はあきらかにつむじを曲げたのです。分厚い雲がまたたく間に集まってくる。やがて雨粒が降ってきました。村人たちは歓声をあげ、水滴を顔にこすりつけた。雨はすぐ、滝のような勢いに変わった。奔流がそこらの砂地に穴をうがつ。雨乞いたちは踊りやめ、舞台に立ちつくします。しかし雨はやまない。売られた喧嘩《けんか》へ拳《こぶし》を返すように、バシンバシンと豪雨が砂漠を打つ。

雨は翌日も、さらに翌日もつづいた。ため池はあふれ、らくだは泥にまみれている。老人たちには、雨音の向こうに、ずるずると何かが滑る物音がきこえます。それは砂漠の動く音でした。もうじき村を、水を含んだ砂の波が、覆《おお》い尽くそうとしているのです。

「見ろよ！」

どこかで男が大声をあげる。

「誰かがまだ外で、あんな踊りを！」

村人たちは小屋から出てきます。雨風に揺れる物見台の上に、小さな人影がひとり、ぽつんといました。それは「かぎ」でした。台座の上でぎくしゃくとした、奇妙な動作をつづけています。ベテラン雨乞い師のひとりがいきり立ち、物見台に登ろうとしました。長老が彼の肩に手をかけて、首を振った。

「よく見なさい」

と長老はいいました。

「わしらの目は砂に覆われていた。あれは特別な男だった。ふたりの兄たちにくらべてさえも。さあ、見なさい。『かぎ』の踊りを。あれらは全部、わしたちのためにしておるんだ」

「かぎ」は逆立ちで踊っていました。真っ暗な空に、途切れた足を向け、ばたばたと絶え間なく動かして。兄たちの雨乞いの裏返し。雲のはてへつづく透明な両脚。あたりは夜闇《よやみ》に包まれ、もうなにも見えません。闇のなか、雨音が少しずつ、やすらかに静まってくるのがわかる。朝方誰かの吐息のような、大きな風音が砂漠に響いた。そしてそれきり静かになった。

朝日がのぼる頃、雨はやんでいました。物見台の上には、誰の姿もありませんでした。ほうぼうの水滴に陽光がきらめく。長老は晴れ渡る空を見あげ、「かぎ」は雨とともに行ったのだ、とつぶやいた。さあ、誰より雨雲に気に入られた男に、わしらはわしらなりの手向けを送ろう。

村人たちは石舞台に集まり、本物の雨乞い衣装に火を放ちました。ぱちぱちと音をたて、真っ白い煙があがっていきます。空には巨大な虹《にじ》が出ていました。ベテランの雨乞い師たちや年寄りは火のまわりでゆっくりと踊った。遠ざかっていく誰かを目で追うように、薄れゆく虹の光を、ただじっと見あげながら。

24

しょうろ豚のルル

雌豚のルルは目が見えません。子豚だったころ、誰かが小屋へ仕掛け花火を投げ入れたのです。花火は藁《わら》と堆肥《たいひ》に引火し、小屋は炎に包まれました。二階で休んでいた老夫婦は、ものすごい臭気の立ちのぼるなか、焼け跡から黒こげでみつかりました。倅《せがれ》のジジは、ちょうどその時分小屋におらず、難を逃れました。小川へ突き落とされ、子どもたちの石つぶての「的」になっていたのです。

火災はジジから多くのものを奪いましたが、本人はさして気にする様子はありませんでした。鼻先に蜂《はち》がとまっても、ぼおっとそれを眺めているようなたちなのです。焼け跡そばの物置に、雌豚とともに住みつき、捨て場や森の湿地をあさる、その日暮らしをはじめました。村の親切な女たちが、ときおりパンや果物をもっていってやります。子どもと男たちの大半は、それまで通り、あるいはいっそう手ひどくジジをからかいました。ただしルルをいじめたり、ふざけて丸焼きにしようと考えるものは、村にひとりもいません。目のきかなくなったルルは、一歳、二歳と育つにつれ、並はずれて優秀な「しょうろ豚」の能力を発揮するようになったのです。

「黒いダイヤ」と称されるしょうろは、非常に珍重されるきのこで、拳大《こぶし》のもの一個が、だいたい役人の月給くらいの値打ちです。柏《かしわ》やさんざしの根に寄生し、地中で成長を遂げるため、人の目で見つけるのは困難を極めます。太古から狩人《かりゅうど》役を務めてきたのが雌の豚でした。しょうろ独特の芳香には、牡豚の唾《つば》のフェロモンと同じ成分が含まれています。

灌木《かんぼく》の森でジジは、ルルに先立ち、枯れ枝や木くずを拾ってやる。ルルはぴんと背中を張って、にじりにじりと前進します。やがて猛然と地表を嗅《か》ぎはじめると、桃色の頭に、ジジがやわらかく手を置く。ルルはおとなしく後ずさりします。細い柏の枝で掘った穴には、拳ほどの黒いかたまりが、いつも必ず見つかります。ジジにしょうろ狩を教えたのは生前の父でした。父は祖父から、祖父は曾祖父《そうそふ》から、豚の扱いや土の掘りかたを伝授されました。彼らの飼っていたしょうろ豚の末裔《まつえい》がこのルルです。

「ようジジ」

森の出口で男たちが待っている。そして、ジジの胸のバスケットから、真っ黒いきのこを次々に取っていく。ジジは黙って見ています。ルルは背後にまわり、キーキーと声をあげている。

ある秋の日、大仰なトレーラーを引いた乗用車が一台、村はずれの宿に横付けされました。笹《ささ》のかたちの口ひげの、太った紳士が降りてきます。辺りをじろりと見回しながら、

「なんとも辺鄙《へんぴ》な村だねえ！」

宿の主人の話では、男は株の仲買人で、都会から、休暇を過ごしにきたのです。前年度のコンクールで金賞に輝いたのは、ルルのとったしょうろでした。紳士は宿で、ひっきりなしに自分の美食ぶりを自慢している。

酒場のカウンターで男たちは酔眼をむけ、

「で、あのでかい荷物のなかみはなんだ」

主人は秘密を明かすように声をひそめ、

「それが、犬なんだよ！」

翌朝から、三本の引き綱をもち、鳥打ち帽をかぶって悠々と歩く紳士の姿が、村じゅうで見かけられるようになりました。三匹の犬は口からたらたらよだれを垂らし、

低く喉《のど》を鳴らしている。たしかに昨今、農家のあいだでは、しつけにくい豚にかわり、しょうろ犬が主流となってきています。ギリギリまで飢えさせた犬の鼻先に、飼い主は、しょうろをちらつかせ、森林でそれを探させる。

都会の仲買人は、あきらかにしょうろ狩に慣れていない様子で、乾いた農地や、小川の土手など、見当ちがいのところばかりうろついています。三匹も経験不足を露呈し、生ごみや泥水に、頭から突っこんでいくばかり。村人はもちろん、助言などしません。ただ、我が物顔にふるまう彼らに、注意を与えるものもひとりとしていませんでした。ある朝紳士は宿の窓から、ジジとそのあとにつづくしょうろ豚の姿を見つけました。ひげ剃《そ》りの途中でしたが、慌《あわ》てて帽子を被《かぶ》り、地図片手にあとを追いかけます。

ジジは怯《おび》えました。十メートルあとからついてくる、薄気味悪い男。にやにやと笑いながら、あごの下にタオルをぶらさげている（仲買人はそそっかしいたちでした）。ルルにも怯えは伝わりました。この日は、いつもより小さなしょうろを二個掘り当てただけでした。村の男たちは森の出口でジジを小突きます。木陰から顔を覗《のぞ》かせる都会の紳士には、気づかないふりをしています。

翌日、ジジは自分たちの狩り場が、ひどく荒らされているのに気づきました。切り株は倒され、木の根はシャベルでずたずたになっている。さらに翌日、その次の日も。ルルを撫《な》でながら、ジジは手ぶらで村へ帰る。そして日曜の朝、森へ向かう小径《こみち》で、太った男がジジとルルとを待ち受けていました。

「その豚をもらいうけたい」

と紳士はいいました。

「私の三匹と、引き替えってのはどうだ」

脇《わき》の灌木に、犬がつながれ、でたらめにうなっています。おそらくこの三日で、一個のしょうろも取れなかったのでしょう。ルルは素早くジジのうしろに隠れました。ジジは屈《かが》みこむと、紳士と犬を交互に見あげ、

「いやだ」

首をかしげていいました。

「ルルもいやだっていってるよ」

紳士の服装はこの日、完璧《かんぺき》でした。ただ引き綱の結び加減に、手抜かりがありました。ゆるく枝に巻かれただけの綱が、鞭《むち》のように踊った。腹を減らせた三匹の犬は、一瞬宙に浮いたかのように見えました。一匹がジジの腕に、二匹はルルに飛びつきま

す。目の見えない豚になすすべはありません。背中を食い破られ、首筋からピンク色の鮮血があがります。ルルは甲高く鳴いた。ジジの悲鳴がそれをかきけす。紳士がやっとの思いで引き綱の端を合わせた途端、血まみれのルルは起きあがり、それまでにない速さで、猛然と駆けだしました。

「ルル！」

ジジは叫び、あとを追って森へ駆けこみます。悲鳴をきき、小径をやってきた村の男たちは、油をまいたような血だまりのなかへぺたんと座り、引き綱でぐるぐる巻きになった紳士の姿を見つけました。

ジジが見つかったのは半日あとです。点々と続く血を、森の奥まで、犬と男たちはたどっていったのです。ジジはさんざしの根元に膝《ひざ》をつき、素手で大穴を埋めていました。

「ようジジ」

男のひとりがおずおずと声をかける。

「その穴は、ルルの墓かい」

「ちがうよ。ルルが見つけたんだ」

ジジは青白い顔をあげます。

「いいしょうろが掘れた。そこにあるだろ。あんたらにあげる最後のしょうろだ」

ふわりと立ちあがったジジを見て、男たちは目を見はります。ジジのからだが、なんだか透き通って見えたのです。さんざしの陰には、岩のように巨大なしょうろが立てかけてありました。ジジはうっすらと笑い、

「ルルは森の奥へいった。いいにおいがしてるんだ。おれも今からそこへいくよ。父さんも母さんも、ルルのきょうだいたちも、みんなそこにいる。いいにおいの場所なんだ」

ジジは背をむけ、木漏れ日の射《さ》す森のなかへ、しずかに歩いていきました。それからジジを見かけたものはひとりもいません。

巨大しょうろの取り分をめぐって、紳士と村人は何日も言い争いをしました。そのうちしょうろは腐りはじめ、吐き気のしそうな臭気が、村じゅうにたちこめました。三匹の犬は口から泡をふき、競うように森のほうへ走りだしました。紳士が見つけたとき、犬たちは、巨大しょうろのあった地面に頭を突き立て、逆立ちの姿勢で息絶えていました。

25 旧街道のトマー

県道四十二号線をはずれ、うねうねと峠へ登っていく海沿いの舗装路を、港町のひとびとは以前から「トマー道路」と呼び慣わしてきました。途中の標識に書かれた「トマレ」の字は、最後の撥《は》ねが、ペンキが足りなかったせいか薄らぼけています。もともと、草むらに覆《おお》われた旧街道で、ふもとの漁港はこの道を介し、遠く離れた山中の集落と、千年の昔から関係を保っていました。

みずからを踏みつけていった無数の足音を、道路のトマーはいまも、胸の鼓動のようにありありと思い出すことができます。足早に駆けていく毛皮男たちの怒声。塩を運ぶ牛たちの首の鈴。ぺたぺたと雪を踏むかんじき。薄い夏のわらじ。隊列をなして進む革の長靴。

この数十年、道を行きすぎる物音は、以前からずいぶんと様変わりしました。港には製鉄所ができ、若い工員やその家族が、おおぜい移り住んでいます。登り坂で咳《せ》き込むエンジン、立て続けにきしむブレーキ。動物はもちろん、ひとの声さえ、当座はあまり耳にしません。たまに聞こえてくれば、それはラジオの雑談か、録音された歌声です。けれどトマーは、昔をなつかしむこともなく、変化を平然とうけとめていました。五年に一度、アスファルトを敷きなおしてもらうのが、最近ではなによりの楽しみです。

狭い道幅、暗々とした茂み、不規則につづくヘアピン。免許とりたての主婦や、老眼の運転手にとり、トマー道路はまさしく難所でした。そもそも、自動車を前提に作られた道でないのです。半年に一台はガードレールへつっこみ、速度によっては海側の斜面を、鞠《まり》のようにバウンドしながら転げおちていく。

「ああ！」

とトマーは胸のなかで祈ります。道路のトマーには、祈るぐらいしかできません。

とある夏、海沿いの岩場で、耳慣れない機械音が響きはじめました。音は秋も、その冬もつづき、そして翌年の春、県道からそのまま隣町へとのびる、新しい舗装路が完成しました。「しおなみの道」と名付けられた、見晴らしのいい四車線道路で、海産物のかたちを模した瀟洒《しょうしゃ》な街灯が、数キロに渡ってつづいています。開通式では、花火がポンポンと打ちあげられ、前年に選出された市長（土木会社出身）が、田舎弁のスピーチを披露しました。拍手はまばらでした。

式典の済んだ夜、斜面はるか上に残る旧街道に向かい、

「やあ、どうも」

しおなみがぞんざいに声をかけます。

「そちら、トマー先輩でしょう。お目にかかれて光栄ですよ」

「いやいや、滅相もないことだ」

トマーは苦笑し、

「そちらこそ、ピカピカとして、標識からなにから、じつに立派だね。ブルドーザーなんぞ載せたって、へいちゃらじゃないかね」

「ブルどころか、飛行機だって平気でさあ」

若いしおなみは侮《あなど》るように肩をすくめ、

「ま、先輩は、お休みんなる頃合いですよ。牛馬が、道を行く時代じゃないんです。今日からはもう、万端こっちに任せてください」

「ああ、もちろん君のいう通りだろう」

トマーは深々と息をつき、

「正直、君ができてくれて、肩の荷がおりた気がしているんだ」

ふたりの話した通り、その日から、港のひとびとも工場のトラックも、もっぱらしおなみの道を使うようになりました。舗装は新しいし、海沿いを滑るように走っていくのは、なにしろ気持ちがいい。道路の真下には人工の浜辺が作られ、色とりどりのパラソルが並び、夏休みともなるとたいへんな人出です。いっぽうトマー道路は、その存在すら、みなから忘れ去られたようでした。町議会でもやがて、道自体の閉鎖が決まりました。四十二号線との交差点に、黄色い門柱が並べ置かれ、峠のあちこちに鎖が渡されます。トマーは相変わらず、不平ひとつ漏らさず、風に揺れ動く鎖をただ見つめていました。

秋にはリスがどんぐりを運びます。冬には雪ウサギがスンスンと足跡を残していく。彼らが轢《ひ》き殺される心配はもうありません。春草に長雨、真上から照りつける夏の陽ざし。千年の昔に戻ったかのようです。けれどトマーは気をゆるめず、路上の景色にじっと目を配っています。道を道たらしめているのは、道自身の視線であり、路上に立ちのぼるその場の気配です。道が自分から目をそらしたなら、もうそこは道ではない。ただの細長い空間でしかなくなります。人通りの多寡《たか》は、トマーにはあまり問題ではありませんでした。道路でありつづけることこそが、今も昔も、道路にとっていちばんの仕事なのです。

そうして三年が経《た》った夏の早朝、トマーは腹の底に、低いうなり声のような物音を感じました。ガクン！この世のすべてを落っことすような、猛烈な揺れが襲います。トマーは身を固くして耐えました。眼下でしおなみの道にメキメキと亀裂《きれつ》が走るのが見えます。

沖合五十キロを震源とする地震は、マグニチュード七・六。工場の屋根はへしゃげ、平屋の家並みは一瞬のうちに、瓦礫《がれき》の山と化しました。水道管も電線も、峠の途中でねじまがり、港町は不気味な静けさに包まれています。やがて、うつむき埃《ほこり》まみれになったひとびとの列が、国道からゆっくりと、峠を登ってくるのが見えました。峠のほうからは、荷車やリアカーに水のボトルを載せ、救助のひとびとがやってきます。しおなみの道は舗装がめくれ、高潮の気配もあって、自動車でなくとも、通行は無理でした。狭いトマー道路を往復する無言の人波は、正午には数千人を数え、さらに増えつつあるようでした。何千人の見開いた目から、真っ黒い涙が垂れおちています。哀《かな》しみのためでなく（哀しみにくれている暇はなかった）、風に乗ってやってくる、被災地の煤塵《ばいじん》のせいです。こすってはだめだ、目がつぶれるぞ！　と救助隊員が声を張りあげる。たらたらと黒い涙を流しながら、峠を進んでいく徒歩のひとびと。

真っ青になり、目をそむける若いしおなみへ、トマーは叱咤《しった》するように、

「このひとたちを見ろ！」

と怒鳴りました。

「この登っていく足音を忘れるな！」

翌日、翌々日と補給の人波はつづいた。しおなみの道は修理され、クレーンやショベルカーがつぎつぎと港町へ入りました。埠頭《ふとう》を離れる救助船の甲板から、避難したひとびとは峠を振り返り、うねうねとつづく旧街道を、ただじっと見つめました。

トマーのほうでは、近づきつつある自らの最期《さいご》を悟っていました。体験したなかで、とりたてて大きな地震ではなかったものの、老朽化した上、これまでにない人数を一時に載せたのです。せめて人通りのないときに、と山頂を向いて祈り、真下を見おろしては、

「君に迷惑はかけないから」

「先輩」

しおなみは涙ぐんでいいます。

「自分は恥ずかしいです。もっとたくさんのことを先輩に教わりたいのに」

トマーは少し笑い、また山頂を見あげました。そしてとある真夜中、リスやキジバトの鳴き声とともに、雑木林ごと山肌の崩れゆく音をききました。それきり、なにも聞こえなくなりました。

翌日、土木作業員が総出でトマーの後かたづけをしました。滑りおちた土砂は、三年前に作られた麓《ふもと》の路肩ぎりぎりでとまっています。年老いた作業員のひとりが、土砂のなかから「トマー」の標識を見つけました。しばらく眺めたあと、街路樹の物陰に、自動車から見えないよう背を向けて立てかけます。

「二代目だな」

作業員はいいました。足下からたちのぼる土砂の匂《にお》いが、一瞬ぷんと強くなったようでした。

26

見張り番のミトゥ

平原にあるその村から、遠く眺められる丘の上に、見張り用の城壁が建っています。白土や骨、牛糞《ぎゅうふん》を塗りこめて作った頑丈なもので、棒で叩《たた》こうが、爪《つめ》でこすろうが、傷ひとつつきません。それほど頻繁に、侵入者がやってくるわけではありませんでしたが、村の男たちは代々、とても用心深いことで周囲に知られていました。狩人《かりゅうど》や旅の僧侶《そうりょ》は、壁のこちら側へ入れてもらえましたが、ぬすっとや暴れ馬、おおかみなどは、丘の向こうへとすみやかに追い払われました。見張りのもつ竿《さお》の先には、ドクガエルの体液が塗ってあります。その竿で脅しつけるいっぽう、壁にかけた紐《ひも》をひいて、ガランガランと土鈴を鳴らす。村から男たちが駆けてきます。手に手に三日月のような弓をもっている。そして、城壁の向こうめがけ、次々と矢を射放つ。この村の男たちは、弓矢の名手としてもよく知られていたのです。

見張り役は一日ごとに代わります。まだ年若の男性が、ひとりずつ順繰りに、城壁の上へ立つ。目のいいことに加え、一人前の度胸をつけるための儀礼的な意味合いも、この役目には含まれていたようです。十代の男は村に三十人ばかりいました。皆、この仕事を誇りに思い、次の順番がまわってくるのを心待ちにしていました。ただひとり「臆病者《おくびょうもの》」のミトゥを除いて。

生まれつく前から、すでにそう呼ばれていたのです。お産の予定日を過ぎ、十日、二十日経《た》っても出てこない赤ん坊を、パンパンと腹の上から叩きながら、

「ひどい臆病者だね」

母親は苦笑していいました。

「この世に出てくるのが、よっぽどこわいんだ」

三歳頃までは、夜空へ目を向けるのさえこわがりました。十歳にもなって、両親の間で寝ていました。村人の特徴でもある注意深さが極端に顕《あらわ》れたのかもしれません。十五歳のいま、自分の弓をもつようになっても、矢をろくに前へ飛ばせもしません。

「ミトゥ、もっと弓を引き絞れ！」

「だって、先生」

ミトゥはおどおどとした目で振り返り、
「弦《つる》が耳に当たって痛いんだもの」

見張りの日はミトゥにとって悪夢でした。

城壁の上からは、南の草原が広々と見渡せます。地平線近くを進んでいく商隊や家畜の列。目が痛くなるような空を、白雲がゆっくりと横切っていく。ただ、ミトゥの目には、広野に立ちのぼるかげろうや、草葉のかすかな揺れさえ、不穏な邪気をはらんで見えました。日が暮れると城壁の上で膝《ひざ》をかかえ、ぶるぶると震えながら朝を待ちます。そして、朝日のなかを歩いてくる、次の見張り番にすがりつき、声をあげて泣くのです。

ある夏の夕暮れ、若者たちが広場に集まって、茶を回し飲んでいました。ひとりが長々と、祖父から聞かされたという盗賊の話を披露しました。赤い長髪のその一団は、風のように広野を渡り、村々を襲っては、略奪をくりかえしてきた。男も女も頭を割られ、臓物を引きずり出される。その正体を見極めたものは誰もいません。古老たちは、イタチの化け物ではないかと見当をつけている。ミトゥは両手でかたく耳を押さえました。けれど話は砂嵐《すなあらし》のように胸にはいりこんできました。

翌日の朝から、ちょうど見張り番に当たっていました。ふらつく足取りで、城壁まで歩きます。ゆうべは恐ろしくて一睡もできなかった。向こうから、巨大なイタチの爪が襲ってきそうで、とても壁の上になどのぼれません。壁際《かべぎわ》に座り込み、青空を見あげます。日陰に吹き寄せてくる風。いつの間にか、目を閉じ、眠り込んでいました。眠っている最中、赤髪の一団の夢を、何度も何度も見ました。自分のうなされる声、叫び声を、夢のなかでくりかえし聞いたような気がしました。

目がさめたのは、その日の午後でした。怯《おび》えは少し薄れています。黄色い太陽に向け背伸びして、白い土壁によじのぼる。広野に異常はないようです。そして背後をふりむくと、村から黒煙があがっていました。

ミトゥはもうろうとして、夢のなかを歩くように村を歩きました。地面はどこも、粘っこく湿っていました。焼けこげ、つぶれた家々の屋根から、ねじまがった手足が覗《のぞ》いています。弓の先生は背中に槍《やり》を立ててうつ伏せていました。生き残ったのはミトゥと、水くみに出ていた一握りの男女だけでした。ミトゥは地面に頭をこすりつけたまま、じっと黙っていました。男も女もなにもいわず、黙々と死体を川へ運びました。ミトゥが手伝おうとすると、見たことのないような目つきでミトゥをにらみました。

城壁に戻り、壁際に座る。皮膚のなかに水を流したように、からだが冷え冷えとしています。これまでにない怯えを、凍るような胸のなかに、ミトゥは感じました。何百の死体の目。生き残ったものたちの目。朝方こうして座り込んでいたとき、ミトゥは何度も、目をあけようと思ったのです。いま起きているのは悪夢などではない。ほんとうに野盗が迫ってきているのだ。わかっていて、立ちあがりもしなかった。土鈴を鳴らし、危機を知らせることができなかった。災厄をもたらした自分の臆病さに、ミトゥは怯え、冷えた身を夜の底で震わせました。涙さえ、目の奥で凍り付いたようでした。

数週間かけ、ミトゥは村と城壁のあいだに泥水の堀をつくりました。大人でも飛びこせないほどの広さがあります。生き残った村人たちは黙殺しました。遠く壁の上に、風に吹かれて立つ人影が見えています。

ひと月、半年経っても、ミトゥは村へ戻りませんでした。壁際に白い山羊《やぎ》が一頭。食事は野草と乳で済ませているようです。冬が過ぎ、また次の夏が来ても、ミトゥの影は壁の上に立ったままでした。じっと広野をにらみつけ、昼も夜も、動く気配がありません。

二年、三年が過ぎ、村には何度か、赤ん坊の産声《うぶごえ》が響きました。家々は建て直され、かまどの煙も、列をなしあがるようになりました。十年も経つと、壁の上の見張り姿は、村のひとびとにとって、軒にさがった風鈴のように見なれた風物となっていました。

「ねえ、かあさん。あれはカカシ？」

幼子が指さしたずねます。

「いいえ、あれは見張りよ」

母は何かを思いだしうなずきます。

「ああして自分で罰をひきうけているの」

三十年、五十年と、ミトゥの見張りはつづきました。イタチの迷信はもちろん、野盗の存在さえ、遠い昔話として忘れ去られるようになっても、ミトゥの立ちつくす影だけは、平原の村から遠く、見あげることができました。目のいい子どもたちは、見張りのその背丈が、少しずつ大きくなっていることに気づきました。両腕を大きく広げ、迫り来る何かから、村を守っているようにも見えます。

そのうち、どこから集まってきたのか、見張りに仲間ができました。壁のあちらこちらに、小ぶりな影がひとつ、またひとつと、年を追うごとに増えていったのです。その中央に、誇らしげに立つ、いちばん古い見張りがいます。彼が壁をおりることは二度とないでしょう。それがいったい何か、壁の上がいまどうなっているのか、村人たちには、とうの前からわかっていました。城壁はもはや、黒々とした影でびっしりです。年に一度、村の男はみな、弓の弦に贈り物を引っかけ、見張りたちのほうへ次々と打ちかけます。

風の強い夜には、怯えた子どもたちに、母親は枕元《まくらもと》でこうささやきます。

「ほら、聞こえるでしょう。見張りの口笛。あの見張りはね、村いちばんの臆病者だったそうよ。それなのに、ああして今夜も、私たちを守ってくれている。あなたは臆病じゃないでしょう? さあ、その目をとじて、安心しておやすみなさい」

27　ブルーノ王子と神様のジョン

その日ブルーノ王子は、朝のパンを平らげてしまうと、神様の住みかをたずねました。神様のジョンは、公園の茂みのいちばん奥の、資材置き場に住んでいます。

「おるか、かみさま。余である」

「よおう、王子。元気かね」

「元気である。パンも食ったしな。ハムのくずがはさまっておった。喜悦であった」

「そりゃよかった」

いかにも職人、といった風貌《ふうぼう》の、年長者であるジョンに対して、やせっぽちの若造ブルーノが、やけに仰々しい、上に立ったような物言いをするのは、もちろん彼が「王子」だからで、これは神様のジョンだけでなく、公園に住む誰もが承知していることです。

「用事はなんだね」

ジョンは紅茶のカップを手渡します。

「余は、王子である。王子であるのに、家来がひとりもいない。これは変ではないかな」

「家来？　おおぜいいるじゃないか」

ジョンはにこやかに笑い、

「売店の婆《ばあ》さんや、近所の子どもたち。わしだって王子、あんたの家来と思ってるが」

「それはちがう」

ブルーノは童顔を大げさにしかめ、

「そなたはかみさまであろう。そして、婆さんや子どもらは、余の領民である。領民と家来は、似ておるようだが、まるでちがうぞ」

神様のジョンは少し考え、

「なるほどね」

少しうなずくと、

「あんたは立派な王子だなあ」

そして立ちあがり、資材置き場の裏手にまわると、昨夜《ゆうべ》ひろった野良《のら》犬を連れてきました。全身油まみれ。年寄りらしく、目元にやにがぎっしり。とても怯《おび》えた様子で、ぶるぶるとふるえながらふたりを見あげています。

ブルーノ王子は真剣な顔で犬の頭をなで、

「よし。おまえは今日から余の家来である。禄《ろく》はパンでとらす。せいぜい励めよ」

「よかったな、ワン公」

神様のジョンは隣で微笑《ほほえ》んでいます。

市民公園は、まわりを古いオフィスビルや高級アパートに取り囲まれていました。中央には噴水。えんえんと広がる桜やぶな木立。休日にはおおぜいの住民が散歩にやってきます。朝夕の掃除をするかわり、神様のジョンとその仲間たちは、公園内での寝起きを許されていました。不都合や相談事はすべて、世慣れたジョンのところへもちこまれます。居住者の住みかも、ジョンが相性やバランスを考え、それぞれの配置を決めていました。

ジョンの近所に住んでいるのは、頭に電灯をつけた元炭坑夫、声のだせない巨体の中年男、そして十数匹の野良犬でした。元炭坑夫には名前がありません（落盤のときにすべて忘れた）。巨体の男は「ばか力」と呼ばれている。犬はどれも「ワン公」です。ブルーノ王子は、彼らから少し離れた物置に、三年前からひとりで住み暮らしています。

「臆《おく》するな。それ、進め家来よ！」

手を打ち鳴らしながら、噴水のまわりを王子が行きます。売店の婆さんは笑いをかみ殺し眺めている。学校帰りの子どもたちがわあわあ騒ぎながら王子と家来についてきます。見回りが終わるといつも、王子は玉座（日当たりのいいベンチ）に悠然と腰掛け、小さな領民たちに、王家の物語を語ってきかせました。何千もの騎士たち。羽根のはえたロバ。ガラスのような頬をした王子の幼い妹。

「妹はしゃっくり病にかかった。雨女の呪《のろ》いによってな」

王子は憂《うれ》いをこめた目で臣民を見わたし、

「この呪いをとくすべを求めるため、余はこの国へまかりこしたのである」

ある春の朝、公園に鋭いヴァイオリンの音が響きわたりました。ジョンは目をこすり、

「なんだ、ありゃ」

元炭坑夫がやってきて、新参者だよ、とジョンに告げます。へんちくりんな野郎だ、

サーカスの道化みてえななりをしてる。

ジョンはばか力を連れ噴水広場へむかいました。日曜とあって、たいそうな人出。人垣のむこうから、甲高いヴァイオリンの音が流れてきました。隙間《すきま》からのぞくと、立派なひげをしたでぶ男が、玉のような腰を左右に振りながら、目にもとまらぬ速さで楽器と弓を動かしています。やがて演奏が終わり、人垣がほどけたあと、ジョンは太った男に近づいていき、氏素性をたずねました。

楽師はフフ、と笑い、

「名もない楽師ですよ、ええ」

「まあ、誰でもかまやしないが」

ジョンはおだやかな口調でいいました。

「ここで商売は困るんだよ。規則でね」

「商売などしませんよ。私はただ、楽器を弾いてるだけでして」

楽師は丸い頬を緩ませ、ヴァイオリンを揺すりました。そしてまた演奏をはじめます。神様のジョンは何もいわず、広場をあとにしました。ブルーノ王子の姿はどこにもありません。毎年春には病院に収容されるのです。

その日から公園には四六時中ヴァイオリンの音が響くようになりました。どういうわけか、散歩に訪れるひとの姿は途絶えはじめました。楽師は夜にも音楽を鳴らします。いつも、同じ曲しか弾かないのです。素早く弓をかきむしる、カラスの声に似た短調の曲。

元炭坑夫が耳をおさえ、

「神様よう、管理人に文句いってくれよ」

もちろんジョンはそうした。しかし管理人は、そんな男など見たことがない、というばかり。楽器の音もなぜか、管理事務所にはきこえてきません。そのうち、楽師の姿は、ジョンたちの目にも見えなくなった。音楽だけが頭のなかで鳴りつづけています。何人もの顔に、ぽつ、ぽつと、赤黒い斑点《はんてん》がではじめた。寒気がして、立つことができません。

ブルーノ王子が戻ったのは四月の末です。たったひと月のうちに、公園は見るかげもなくさびれはてていました。きょときょとと目を配りながら遊歩道を歩く。子どもらの姿はなく、売店はとじられている。噴水の前で立ち止まります。石の台の端に、古いヴァイオリンが一台たてかけてあった。

「なんと！」

王子はそれを見て、さっと飛びずさると、

「きさま、余の領民になにをしたのだ!」

腕をあげ、手を打ち鳴らす。茂みのなかから、おぼつかない足取りで、家来の犬があらわれました。そのうしろから、神様のジョンがヨロヨロと青い顔をだします。両名の哀れな様をみて、ブルーノ王子はいきりたち、ヴァイオリンにとびつきました。

思いきり、噴水の台に打ちつける。

粉々になった破片から、真っ黒い雲のようなものがたちのぼり、王子の周囲を、ぐるぐるとめぐりだした。ふいに方向をかえ、家来の犬のほうへ、蚊柱のようにうねりながら近づいていく。犬はおびえきって動けもしません。黒々とたちのぼる柱、そのただなかへ、ブルーノ王子は迷わず身を躍らせた。

「王子!」

神様のジョンが叫んだ。ブルーノ王子の全身は黒雲に包まれました。王子は大口をあけ黒雲を思いきり吸いこんでいます。ジョンも駆けより、両腕で払います。やがてがくんとくずおれた王子の膝《ひざ》に、家来の犬はとことこと近寄ってきて、鼻を鳴らしながら顔をこすりつけました。王子は土気色の顔に笑みを浮かべ、かすれ声でつぶやきます。
「案ずるな。すべての臣民と家来を、災厄から守る責任を、王子たる余は有してお
る」
瀕死《ひんし》の王子を、やつれたばかか力が、乾いた草地に運びます。「ワン公」たちはしっ
ぽを垂らし、か細い遠吠《とおぼ》えをあげはじめました。元炭坑夫が頭のライトで王子の顔を
こうこうと照らす。ブルーノ王子はにっこりとし、
「おう、光だ。出迎えであるか」
神様のジョンはくちびるをかみしめ、王子の足首をもち、上へ、下へ、ゆっくりと
動かします。まるで空中を歩いていくように。
「王子、王子、あんた、宙に浮いてるよ」
「そのようである。身が軽いぞ、かみさま。余はいましも天上に向かいつつある」
身じろぎをし、からだを横にむけると、
「しかしな、余はまだ、天の門をくぐるわけにはいかんのだ。しゃっくり病の呪いは
まだ解けておらぬからな。さきほどの煙がじゃりじゃりしておる。パンで口直しとい
きたい」
「いまもってくるよ、王子」

神様のジョンが目をこすりふりむくと、いつの間にか集まった公園じゅうの住人がふところを探って、一斉にパンをとりだすのが見えました。

28 取立屋の山田

とある朝、取立屋の山田が冷えたスープを食べていると、アパートの大家がやってきて、猫の皿を取り戻してこいといいました。先週の水曜まで居候《いそうろう》していた義理の弟が、餞別《せんべつ》と称し、勝手にもっていった家財道具のなかに、その皿が紛れ込んでいたらしい。

「うちの猫は、そいつからでないと、まるきり餌《えさ》をくわねえんだ」

「お巡りに頼んだらどうです？」

山田がきくと、年老いた大家はいまいましげに唾《つば》を吐きます。目がほとんど見えないので、唾はぼたりとスリッパにかかる。

「自分で行きゃあいいのに」

「猫の皿なんて、いい大人が、わざわざ取りにいけるか、この阿呆《あほう》」

大家は濁った目でにらみます。

「今月の家賃はチャラにしてやる。さっさと出かけろ。皿を取り立ててこい」

上着をつけ、表に出ると、薄汚れた子どもが二人、ポケットに手を入れ、やまだー、やまだー、となれなれしく近づいてきました。

「やまだー、今日はどんな仕事だい」

「やまだー、たばこわけてくれよ」

「うるせえ」

肘《ひじ》で払いのけ、車に乗り込む。

大家から教えられた住所には、公営住宅などなく、かわりにLLサイズ以上専門の洋服チェーン店が建っていました。山田は念のため、義理の弟が働いていないか、巨体の店員に尋ねてみました。外国人らしく、グフグフ唸《うな》るばかりで、とても会話になりません。山田は吐息をつき、外で携帯電話をだすと、

「住所はでたらめでしたよ」

「それがどうした！」

向こうで大家が怒鳴ります。

「いまホイップクリームを混ぜてんだ！　てめえはてめえの仕事をしろ！」

山田は運送会社に何本か電話をかけます。仕事柄、どこの配送係とも、以前から面識があります（夜逃げした債務者の足取りをたどったり）。アパートから運び出された荷物の行き先はすぐにわかりました。市の郊外にあるさびれた歓楽地の一軒です。国道を北におよそ一時間。『趣味のスナック・肉の館』と看板にはある。戸口の横のベニヤ扉をあけると、狭い階段が見あげるような角度で上に伸びています。敷かれた灰色のじゅうたんに、靴のあとがあったので、そのまま階上にのぼりました。四号、と札の貼《は》られた引き戸を、軽くノックします。

あらわれたのは、牛のような、ものすごい顔の女です。からだの幅もものすごい。LLどころか、XXでさえ、肩で引き裂いてしまいそう。着ているのは、鮮やかな青色の、南国の衣装です。女は名刺を一瞥《いちべつ》し、表情を変えないまま、のし、のし、と廊下に出てきました。名刺は手の内で握りつぶしています。

「ちがいます、ちがいます。借金取りではありません！」

山田は尻餅《しりもち》をつき、頭上で両の手をぶるぶる動かしながら、

「猫の皿を取りにきただけなんです！」

大家の義弟の名を出すと、女は立ち止まり、いま留守だよ、といいました。山田は引き戸の枠からどうしてこの巨体が出てこられたのか見当もつきませんでした。下の

店で待っていればいい、と女は低い声で告げました。山田は転げるように階下へおります。

半時間のうち、店のホステスが四人、つぎつぎとやってきました。店名の由来が山田にもようやくわかりました。ホステスたちもみな、家畜を立たせたように肥え太っていたのです。ソファの両脇《りょうわき》に座られると、まったく視界がききません。グラスだけ光る、薄暗い店内の雰囲気は、なにか巨大な生き物の胃袋のなかに、取り込まれてしまったかのようです。義弟が帰ってきたのは、三時間ほど経《た》ったあとでした。全身土にまみれ、両手にはくしゃくしゃのビニール袋をいくつも提げている。背丈はカウンターほどしかありません。

「きのこは見つからなかったよ、みんな」

義弟は高い声で悲しげにいいました。

「そのかわり、花をつんできた」

ホステスたちはヒナギクやレンゲを袋から取り、まあかわいい、と嘆息しては、義弟を胸のなかに抱きすくめました。四号室の女がカウンターから見ています。先週半ば、この女がパジャマを買いに町にでたとき、店の駐車場で、声をかけられたらしい。

「おおきなおんなのひとが、ぼくは、むかしから好きなんです」

義弟は野菊を一輪、山田にも差し出し、
「このおみせに、一生を、ささげるつもりです。それがおおきなゆめなんです」
猫の皿について訊《たず》ねると、古着や本といっしょに、町のチャリティショップに寄付したとこたえます。住所をきき、山田は口の裏で舌を打ちます。アパートの建つ、横丁の角でした。女がカウンターから勘定書を寄こします。アパートの家賃の、およそ半分です。

近隣にチャリティショップができたなどとは、山田には初耳でした。そもそもチャリティショップが何かさえよくわかりません。いつもの通りに駐車し、徒歩で行きます。

紙の造花を貼り付けた、コンクリートの暗がりに、三つの人影。よく見ると、黒い頭巾《ずきん》をペンギンのように被《かぶ》った中年女性でした。山田のほうへ、あいまいな笑みを投げています。コンクリートの地面には布が敷かれ、調理器具などの日用品が並べられています。段ボール箱には文庫本や古レコード、ていねいに折りたたまれた衣類。皿は何百枚もありそうです。山田は女性のひとりに、先週末、身長の不釣り合いなカップルのもちこんだ荷物はどれかとたずねてみました。壁の隅に、手つかずのままそれはありました。特大のワンピース、子どもサイズの靴、縁の欠けたマグカップ、写真を抜いたアルバム。

「猫用の皿なら、きっとこれですよ」

黒頭巾の女性が一枚を取り、

「ほら、底の模様が消えているでしょう。縁はそのままなのに。猫がなめるせいですわ」

山田は値段を尋ねます。むろん、驚くほどの安値。ポケットの小銭をつまみだし、女性に手渡す。店を去ろうとしたそのとき、奥の女性からおだやかな声がかかりました。

「募金をおねがいいたします」

山田は振り返りました。いちばん年寄りの女性が、十字の書かれた小箱を胸にほほえんでいます。からからと箱を振り、

「猫にやさしいのなら、見知らぬ人にもいっそう、やさしくできるのではないかしら」

山田は黙りました。皿を片手に、しばらく考えをめぐらせたあと、言葉を選びながらていねいに話します。

「おれ、そういうの、だめなんです」

年寄りの女性はほほえんだままです。

「ただでもらうのも、くれてやるのも、昔っから苦手でね。ただのかわりに、余計なかたまりが背中に貼りついちまうようで。そういうたちなんです。つまり、小男が、でかい女しか、好きになれないようなもんでね」

「無理にとは申しませんよ」

と女性はいい、目をつむりました。

「あなたにも幸いが降りかかりますように」

山田は頭を振り、外に出ました。通りを大股《おおまた》で歩いていく途中、ふいに物陰から、ヒュン、ヒュン、と風を切る音がきこえました。何かが額に当たる。よろけた途端、手が滑ります。狭い路地を駆けていく、子どもの押し殺した笑い声。猫の皿は、路上で真っ二つに割れていました。

食器屋で同じような皿を買いました。目の悪い大家に見分けがつくはずもありません。アパートに戻り、大家の部屋をノックする。薄汚い猫を抱き、大家が出てきました。はげだらけの猫は、嬉《うれ》しげにニャーと鳴き、皿に注がれた牛乳を夢中でなめはじめました。

「皿を割ったろう」

大家は猫背を撫《な》でながらいいました。

「さっき外で物音がした。こいつはちがう皿だな。家賃はいつも通り、次の火曜までにもってきな」

29 玩具作りのノルデ爺さん

朝陽の照りはじめた海岸を、今日もひとり、ノルデ爺《じい》さんは歩いていきます。ごま塩ひげに覆《おお》われた頰。防水コートを引っかけた瘦《や》せぎすの背中。浜辺へうちあげられた木片やガラス瓶、その他雑多な漂着物を、一個一個拾いあげ、砂を落とし、肩にかけた網袋におさめていく。海岸線の半ばまでくると、爺さんはきびすを返し、足をわずかに引きずりながら小屋へと戻ります。陽はまだ東の空でもたもたしている。爺さんの小屋は海岸の高台にあります。物干し竿《ざお》に渡した紐《ひも》に、海草や小魚が、古い靴下のように干されてあります。

朝食を終えるや、ノルデ爺さんは早速仕事にとりかかる。小刀に木槌《きづち》、細引き紐や絵の具をむしろに広げ、早朝に拾った品々を自分の周囲に並べます。爺さんは小刀を取る。木片を削っていくうち、見る間に舟の形ができあがる。絵筆を走らせ、船腹やデッキに模様を描くと、瀟洒《しょうしゃ》なヨットの完成です。爺さんは腕をのばし、むしろの端にそれを置く。しばらく出来映えを眺めたあと、つづけて別の漂着物を、皺《しわ》だらけの手に収めます。

ガラスを磨き、斑点《はんてん》を打ったおはじき。

小枝を編み、取っ手をつけた虫かご。

プラスティックをねじまげた子犬。

浜で拾ったがらくたを材料に、爺さんは毎日、十いくつの玩具《おもちゃ》を作ります。三十年の間ずっとそうしてきたのです。けれども、都会の商店に、彼の玩具はひとつとして出回っていません。浜にほど近い港町でも、それらがひとの目に触れることは一切ありません。爺さんがこうして玩具を作っていることさえ、ほとんど知っているひとはいないのでした。

とある秋の朝、爺さんは浜で、ふだんになく大きな漂着物を見つけました。穴だらけの救命ボートです。なかにひとり、真っ白い顔の、若い男が横たわっています。爺さんは男を抱えあげ、早足で小屋へ戻りました。白く見えたのは乾いた塩のせいでした。かさかさに干《ひ》からびたくちびるは、真水を垂らすと重たげに、ゆっくりと動きました。スラックスのポケットから、不釣り合いなタータンチェックの端切れが一片のぞいています。

夕方、意識をとりもどした男に、ノルデ爺さんはまた真水をすすめ、氏素性などをたずねてみました。

わかりません、と男はこたえます。

「自分の名前さえわからないのです」

「まあいい。焦《あせ》らなくともいずれわかるさ」

爺さんは柔和な顔でうなずき、

「この浜は、風が吹かなきゃ、陽ざしがずいぶんと暖かいんだ。静養するには、もってこいの場所だよ」

翌朝から爺さんは、いつも通りの暮らしに戻りました。がらくたを拾い、小屋で玩具に仕立て直す。一週間も経《た》つうち、男もじょじょに元気をとりもどしていった。むしろの上に膝《ひざ》をつき、興味深げに眺めています。やってみるかとたずねられると、慌《あわ》てて首を振りますが、次々とできあがる木馬や人形には、充血した目をじっと向けたままでいます。

「ノルデさん」

早朝の浜辺を、爺さんのあとについていきながら、男はいぶかしげな口調で、

「どうして玩具を?」

「うん?」

ノルデ爺さんは眉《まゆ》をあげ、

「そりゃ玩具が好きだからさ。あんただってそうだろう。玩具のきらいなやつなんてこの世にはいないよ。いくつになろうが、どんな暮らしをしていようが、ひとは玩具が大好きだ。というより、玩具が必要なんだよ」

「私のききたいのは、別のことです」

男はいいました。

「どうして玩具を、捨てちまうんですか?　ゆうべ見てたんです。磯《いそ》の上から、一個ずつ沖のほうへ放り投げているのを」

爺さんは柔和に笑った。男は続けます。

「命を救われて、こんなことをいっていいかわかりませんが、せっかく作ったのをまた海へ捨てるだなんて、ノルデさんの今いったことと、まるで反対じゃありませんか」

爺さんは腰を折り、青いガラスの破片を砂地からつまみ上げた。朝陽にかざし、嬉《うれ》しげに微笑《ほほえ》みます。気勢を折られ、若い男は口をつぐんだ。爺さんと並び、なにもい

わずガラス片を拾い集めていきます。

初冬のある日、男が三人、小屋の戸を叩《たた》きました。若い男を取り囲み、次々と質問を投げかけてきます。こんなところじゃ落ち着いてインタビューもとれない、さあ、港の宿へお連れします！　腕をとられた男は、問いかけるような眼差《まなざ》しをノルデ爺さんに向けた。爺さんは微笑んだまま、二度三度とうなずいただけでした。

宿の暖炉では煌々《こうこう》と火が燃えています。記者たちの質問に、男はただ呆然《ぼうぜん》とし、ほとんどなにもこたえられずにいます。海難史に残る大惨事？　タンカーとの衝突？　いったいなんのことだろう？

「生存者はほかに見つかっていないのです」

記者のひとりが鉛筆を構えながら、

「伺いにくい質問ですが、遊覧船の上で、ご家族へはいったい、最後にどんなことを？」

暖炉の火を受けながら、男の顔は真っ青になりました。ポケットに手をいれる。そこにはタータンチェックの切れ端。幼子のはいていたスカートの紐。男の頭のなかで過去の風景がでたらめに回った。黄色いゴム長靴。熊《くま》のぬいぐるみ。冷え冷えと濡《ぬ》れそぼった桃色のてのひら。そして、黒々と甲板にのしかかる夜の波頭。

男が泣きやみ、宿の部屋から出てきたのは、次の日の昼でした。記者たちの姿は見えません。食堂へおりていくと、女主人が湯気のたつカップを目の前に置いてくれた。

「ノルデさんとこにいたんなら、コーヒーなんてひさしぶりだろうね」

主人は苦笑していいます。

「あの爺さんは湯と干物しかとらないから」

あのひとは、と男はたずねた。

「どうしてひとりで、あんなところに住んでいるんですか」

女は少し黙り、正面に腰をおろすと、あの浜さ、へんな形にくぼんでいるだろう？　とこたえた。三十年前は、漁村だったんだよ。津波があってね。家も舟も全部、沖へさらっちまった。ノルデさんは行商に出てて留守だった。娘が三人、息子がふたりいた。帰ってきてからは、一日さえあそこを離れない。

男は宿を出、埠頭《ふとう》を横切って砂浜へ出ました。湾曲した波打ち際《ぎわ》を通り、爺さんの小屋へ着く。ちょうど自動車の模型に色を塗っているところでした。ゆっくりと目をあげるノルデ爺さんに、男はしずかな口調で、玩具作りを教えてくれませんか、といった。

「私にも玩具が必要なのです。また、玩具を必要とする相手が、ほかにもいるのです」

「すわりなさい」

といって、ノルデ爺さんはむしろの場所をあけた。男はそこにすわり、木片を拾った。

春が過ぎ、夏が過ぎていく。男の腕はどんどんあがっていった。もともと工作の素養があったらしい。爺さんは嬉しげに目を細め、男の作ったヨットや木馬を眺めます。夜になればふたりして磯にのぼり、黒い波のはるか先へそれらを投げこみます。

そして冬のある日、爺さんは全身ぐっしょりと濡らし、かすかに震えながら小屋へはいってきた。外は氷雨《ひさめ》が降っていました。医者を呼んでこようと立ちあがる男を制し、ノルデ爺さんは、落ち着きのあるかすれ声で、

「小屋の裏へ行きなさい。ちょうどいい太さの丸太が、この日のために寝かせてある」

男はいわれたとおりにした。身の丈ほどの丸太を転がし、小屋へ戻ると、爺さんはもう身じろぎさえしていません。男はくちびるをかみしめ、のみと木槌をとると、猛然と丸太をくりぬいていった。小屋の外が白みはじめるころ、作業は終わりました。

まんなかに立てた物干し竿に帆布を張ると、ちょうどいい小舟の完成です。男は丸木船を浜のほうへ押していった。爺さんを抱きかかえ、汀《みぎわ》で揺れる舟に横たえます。ほの明るいくもり空から粉雪が舞い落ちてきます。

背中からゆるやかに風が吹いた。ノルデ爺さんを乗せた舟は、まっすぐに沖をめざし進みはじめました。男は波に両足を浸しながらいつまでも見送っていました。朝の雪のなか風に運ばれ、少しずつ小さくなっていくその舟は、おだやかな水面に浮かべられた、玩具のヨットのように見えました。

30

マッサージが上手な栗

繁華街の端の古アパートに、栗《くり》と呼ばれる少女が住んでいます。両親とはとうに死に別れ、学校へもいっていません。いってもどうせ字が読めず、暗誦《あんしょう》だって一行さえできないのです。周囲のひとから栗は、多少頭の弱い少女と思われていました。いつも茶色い三角帽をかぶり、赤い頬に口をあけて、ただニコニコと笑っている(呼び名の由縁はこの大きすぎる帽子です)。

栗には特技がありました。驚くほどマッサージがうまいのです。栗の部屋には、清潔な真っ白い寝台が、中央にでんと置かれてある。お客はそこへ腹ばいになります。小柄な栗は踏み台に上り、背中全体をひとしきり眺める。すると腰や首筋あたりに、ほのかな光点が、ひとつふたつと見えてきます。栗はちいさな親指を伸ばし、光の部分をそっと押しこむ。じっくりと力をこめ、やがてしずかに指を離す、ただそのくりかえし。他のことはしません。背中の二三カ所を、時間をかけ、丁寧に押しているだけです。なのにマッサージが終わると、お客はみな自分のからだが、まっさらによみがえったように感じている。憂鬱《ゆううつ》やいやな思い出まで、風に払われたように吹き飛んでいます。そういわれると栗は、頬を真っ赤に染め、嬉《うれ》しげに笑います。そして、二食が取れるだけのお金を、ちいさなてのひらの上に受ける。

「栗ちゃん、そこは古傷でな」

ギャングの親分は寝台で顔をしかめ、

「ここだけの話、犬に尻《しり》をかまれたのさ」

「まあ、ちゃんと餌《えさ》をあげないのが悪いわ」

薄れいく腰の光点を見つめながら、栗はたしなめるようにいいます。

「そこ、そこ！」

ここ三年ずっとお忍びで通っている、女レスリングのチャンピオンは吐息をついて、

「ねえ栗、あんたほんとに、あたしの専属になる気ない？」

「ありがとう、でも遠慮しとく」

栗はチャンピオンの太い首を押し押し、

「わたし、うまれ育ったここが気に入ってるもの」

狭い二間の奥で、栗は幼いころ、おばあさんの腰を一心にさすりつづけた。そのうち、彼女にしか見えない光が、はっきりと見てとれるようになった。生きたひとの上にぽつぽつと現れる、細い隙間《すきま》から漏れでてくるような光。栗は毎日、隙間を繕い合わせるような心もちで、お客のからだを熱心に押します。あとで、たいそうな疲れをともなうので、お客は一日にひとりがやっとでした。体調がよくないと、栗は戸口のノブに、干したいが栗をぶらさげます。休業のしるしで、これがむき栗だと、「開いてます、どうぞ」という意味合いになる。

ある日の午後、商店街からの帰り、栗のすぐそばに、黒塗りの自動車が近づいてきました。開いた窓から、表情のよくわからない男が、なんでも治すってあんま師さんはあんたかね、と訊《たず》ねました。栗はただ、自動車の立派さに圧倒され、ぼんやりと突っ立っていました。男が舌を打つ。別のふたりが降りてきます。後部座席に押し込められた拍子に、買い物かごからリンゴが転げ、ころころと排水溝に落ちていきます。

連れていかれたのは、郊外に建つガラス張りの屋敷でした。栗は男たちに挟まれ、らせん階段をのぼりました。寝室の前で、無表情の男が帽子を取るよう低い声でいいます。

寝台にうつ伏せているのは、栗と同じ年頃の少年でした。枕元《まくらもと》には、煙草《たばこ》の臭《にお》いをぷんぷんさせた、中年の男が突っ立っています。栗は目をみはります。少年の背中は、暗い夕陽を受けたように、全体が黄色く、こうこうと輝いていたのです。

「さあ、診てやってくれ」

中年男は嗄《しわが》れた声でいいました。栗はごく普通の口調でこたえました。

「できないわ」

「なんだと」

「この子の背中は、もうどうやっても元にはもどりません」

「そんなことはもう医者にいわれとる！」

男は尖《とが》った靴で床を蹴《け》りつけ、

「脊椎《せきつい》のカリエスだ！　せめてもの望みをかけとるんだ！　なんとかしろ、魔法の指をもっているのだろう！」

栗は息をのみ、目を細めます。光はいっそう強さをまし、少年の全身を覆《おお》いつくしつつありました。少年自身が、この世に開いた、まぶしい隙間のようでした。栗はしばらく見とれ、そしてゆっくりと首を振りました。中年男は燃えるような目で彼女をにらみ、脇《わき》に立つ男たちに、ひげの伸びた顎《あご》をしゃくりました。

翌朝、栗のもとへ、魚のような目をした役人がやってきて、即刻部屋から立ち退《の》くよう命じました。無許可での営業を、起訴されないだけでもありがたく思え、というのです。もっていく荷物など、鞄《かばん》ひとつ分しかありません。栗は帽子を目深《まぶか》にかぶり、えっちらおっちらと真冬の街へ歩み出ました。

意外なのは、繁華街の誰も、挨拶《あいさつ》を返してくれないことです。みなまるで、栗などそこにいないように振る舞うか、あるいは目を素早くそらしてしまう。日が暮れると気温は氷点下にさがりました。栗は川岸の公園でたき火をおこします。燃やすものはすぐになくなり、やがて視界がゆがむほど、空気は冷えてきました。栗はベンチで背を丸めます。

ふいに、なにかの物音がしました。目をあげると、二羽の鳩《はと》でした。首のうしろと羽根の付け根が、ぼんやりと輝いています。

「もんでほしいのね、よしよし」

栗はかじかんだ指を伸ばし、鳩の首を押しました。辺りを見わたすと、凍《い》てつく闇《やみ》のなかに、犬や猫、スズメにはつかねずみ、亀《かめ》やとかげまで、数えきれないほどの動物が自分を取り巻き、静かに伏せっているのがわかりました。それぞれ、からだのど

こかをほのかに輝かせています。栗は白い息を吐いてうっすらと笑い、

「順番にね。みんなちいさいから、もむのも楽だわ」

　何時間もかけ、栗は動物たちをマッサージしました。すべての生き物が満足げに息をもらすいっぽう、栗も疲れをおぼえませんでした。それどころか、自分のからだをもみほぐされたような心地よさを感じている。マッサージがすむと、夜の動物たちは、公園のひとつところに集まりました。砂場の横に、美しい光のかたまりが現れます。動物たちはまるで巣に戻るように、ひょいひょいと光のなかに飛び込みました。そこはたしかに、別の場所につながっているようです。最後に残った鳩が、栗を振り向く。おいでよ、という風に、首をかしげる。

　栗は少し考えをこらし、

「わたしはいいわ」

　朗らかにいって後ずさりしました。

「そっち行くより、街でまだすることがあるみたい。おばあさんたちによろしくいって」

　ベンチに座りなおし、まばゆい光の穴が消え失《う》せていくのを見つめます。入れ替わるように、東の空から、まっすぐに朝の陽ざしが伸びてきました。栗は陽を受けなが

ら、心地よさげに伸びをすると、足場をたしかめるようにぴょんぴょんと跳びはね、商店街のほうへ歩いていきました。

その日以来、駅の改札口や、地下道の物陰で、茶色い帽子をかぶった少女の姿が見かけられるようになりました。ひどく疲れた様子や、病気一歩手前の通行人に目をとめると、トコトコ近づいていき、にこやかに話しかけます。背中や腰をもまれるうち、沈みきっていた通行人の表情は、春の花のようにおだやかに開いていきます。まわりを行くひとびとの目にも、少女の押している場所が、ぼんやりと光るのが見える。さらに、勘のいいひとの目には、少女の指先から肩、背中にかけて、朝陽を受けた枝のように、まばゆく輝いているのが見えるのです。

あとがきにかえて
編集者の関口君

薄暗い夜明け前の岩山を、関口君は淡々と息をつきながら、ひとり登っていきます。下生えや低木が点在する、なだらかな初春の斜面。残雪はないとはいえ、吹き下ろす風はまだ冷たく、坊主頭《ぼうず》の関口君は毛糸の帽子を目深にかぶっています。ときおり立ちどまってあたりを見まわす。若いウサギでしょうか、岩間から飛びだし、てん、てん、てん、山肌を跳ねていくものがある。関口君は微笑《ほほえ》みます。いま住んでいる都会では、動物を見ることなど到底かないません。関口君の黒縁めがねには、暗視スコープ、目薬に電子辞書など、さまざまな機能が備わっています。

東の山の端《は》から陽が射《さ》してきて、関口君はようやく腰をおろし、登山用リュックの底から弁当包みをとりだしました。忙しい編集者のあいだでは、粉状だったり液状だったりの携行食が主流ですが、関口君は、昔ながらの食事を奥さんと交代でつくります。この日の弁当は奥さんが担当。にんじんとごぼうのそぼろきんぴら、鳥もも肉の香草焼き、春菊のごま和《あ》えに、南京《ナンキン》かぼちゃの煮物、あさりとふきの炊き込みごはん。ゆうべ家を発《た》ったときから、作りたてのまま保温されたとりどりの食材に、早朝の陽光が、金色のふりかけのようにこぼれ落ちる。炊き込みごはんを頰張っている最中、めがねのレンズに3Dの奥さんがあらわれ、

「どう?」

関口君はゆっくりと飲み込み、

「ふきの炊き加減がちょうどいい」

「そうじゃなくて」

奥さんと関口君は仕事の上でもパートナー関係にあります。少しのんびりしている関口君にくらべ、さあとなれば、裸足のまま駆けだしていきそうなところが奥さんにはある。

「見つかりそう?」

「ああ、そのこと」

関口君はもも肉を摘《つま》み、きらめく朝陽にかざしながら、

「もっと高く登ってみないとわからんね」

関口君の肉体はだいたい三十代半ばのまま、奥さんの肉体は二十代後半といったところで、昨今の時勢では、実年齢はあまり意味をなさなくなってはいますが、口調やものごしにはどうしても、二十世紀生まれの古めかしさがにじみでてしまいます。

「よっこらしょ」

と口にだして立ちあがるのもやはりそう。関口君はひょろ長い背をかすかに傾《かし》げてなだらかな斜面を進みます。岩面に手をつき、からまるいばらをかきわけ、山をのぼっていきます。サーサーと、ラジオのホワイトノイズのような物音がきこえ、茂みをかきわけていくと、幅五メートルほどの、水煙をふきあげる清冽《せいれつ》な沢に出ました。河原におりた関口君は毛糸帽をとって頭と顔を洗いました。顔をあげてみると、対岸に真っ白い鹿《しか》がいました。そこいらの枝葉より立派な角を立て、翡翠《ひすい》に似た輝きの瞳《ひとみ》を、まっすぐこちらに向けています。関口君は身が貫かれる思いがした。めがねの位置を整え、画像を記憶させせようとしかけたところで、手を止め、鹿の瞳をやはりまっすぐに見返しました。まるでそこにだけ残った雪のような鹿は、ゆっくりと一度、首をうなずきかけるように動かしたあと、さっと身をひるがえし、音もなく背後の茂みに消えました。息をのんでしばらく見つめたあと、河原全体を振り返ると、釣り人の仮住まいを思わせる丸木小屋が岩の上に立ち、そのわずか下流に、こちら岸からあちら岸へ、滑車をつけたロープが渡してありました。関口君は岩によじのぼり、滑車の握りをもって吊《つ》り下がると、ツ、ツーッ、と一気にロープを滑って沢を越えました。沢のこちら側は、たちこめる香りからしてもうちがいます。高々とのぼった太陽が、無帽の坊主頭をちりちりと照らしつけています。茂みをかきわけたところに青緑色の筋が幾重にも走った岩盤の壁があらわれた。黒緑めがねで解析してみると蛇紋岩の地質にまちがいない。さっきの鹿はなんだったんだろう、関口君は思った。岩肌にがっきととりつき、足先でくぼみをさぐりながら、もし俺が鹿なら、こんな岩場はケンケンの、ケーン、だな、と胸のうちでつぶやく。自分で勝手に可笑《おか》しくなって、にやにや笑いながら手をいっぱいに伸ばし、にじりにじり、緑色の岩盤をよじのぼっていく。

岩間を踏みしめて身を乗りあげたそこは、山頂にほど近い、南側の斜面でした。たちこめていた香りがいっそう強く鼻をうちます。岩盤のところどころに、三メートルほどの低木がおとなしそうに立っています。黄色いつぼみがほころびかけている。息を整える間もなく、関口君は歩み寄っていき、一本、また一本と、黒く、節くれ立った幹に指を滑らせ、たちこめる香りを胸いっぱいにはらむ。日当たりのよいこの場所だけが、山から浮上した空中庭園のようです。もう一度ゆっくりと見渡し、本数や樹齢のデータをめがねに記録し終えると、関口君はそろそろと、のぼってきた岩盤を注意深くおりていきました。

丸木小屋の戸からのぞいたのは、いまどき珍しい、五十がらみの肉体の中年男の顔でした。いぶかしげに鼻を鳴らしながら、入れてくれた小屋のなかは、真新しい浄水器やディスプレイが完備され、3Dの猫が三匹、オゾンの玉を追いかけまわしていました。

「崖《がけ》の上の木を、刈らせていただきたいのです」

関口君はいった。

「あの雑木か？」

よく見ると男も3Dです。実体は役所の環境課にいて、この郡全体の生態系を管理しているのです。男は軽く椅子《いす》をまわし、ディスプレイ上に岩場に立ち並ぶ低木を映しだしました。フーン、と面倒そうに画面をさわると、植物の生態データがずらりと表示されます。軽くうなずくと、

「この木なら別にかまわんが」

中年男は顎《あご》を触りながらいった。

「あんな雑木、刈っていったいどうするんだね」

「紙をすきます」

「紙？」

「はい」

関口君はいった。

「あの木、雁皮《がんぴ》からとれる雁皮紙は、『紙の王』と呼ばれるほど質がいいのです」

中年男は目をまたたかせ、もう一度ディスプレイを振り返ると、

「フーン、そりゃあ知らなかった」

といった。

「いまでも紙なんて使う人間がいるのかね」

「本を作るのが僕の仕事です」

関口君はいった。

「本には、絶対に紙がいるのです」

中年男は黙り、ゆっくりと椅子をまわして関口君のほうに向きなおりました。関口君は気楽そうに笑って立っています。３Ｄの猫が関口君の膝《ひざ》をすりぬけていきます。オゾンの玉がぷちんとはじけ小屋のなかに青々とした香りがたちこめました。

「紙の本か！」

中年男は呆《あき》れたように膝を叩《たた》き、

「私もずいぶん以前、そういうものに触れた記憶があるよ。高校生、いやもっと前、小学生の頃だったかもしれない。あれだろう、こうして、束になったのをめくるやつだろう」

「そうそう」

関口君は男と同じ、紙の束を指先でめくる仕草をします。

「いまも需要があるのかね」

「ほんの少しですが」

関口君は苦笑し、

「ただ、どんな部数でも、紙の本を作りつづけるのが編集者ですから」

中年男の姿が一瞬消えました。次にあらわれたときにはコーヒーカップとチョコレート皿の載ったお盆をもっていました。３Ｄでない、実体のテーブルの上に、男はカップと皿を置きました。

「よくおぼえているのは、大きな、かたい本だよ」

男はいった。

「絶滅したリョコウバトや、オオカミの話が書いてあった。ふとんのなかで夜明けまでめくりつづけた。何回も、何回も」

関口君は黙礼すると、カップをとってひと口すすりました。

男はしばらく黙ったあと、

「あれは破れたり、汚れたりするんじゃなかったかね」

「そうですね、しわが寄りますし、折れまがるし、ずっと鞄《かばん》に入れてるとくたくたによれてしまいます」

関口君は顔をあげて笑い、

「でも、そこがいいんですよ」

この作品は二〇〇六年二月メディアファクトリーより刊行された。
「編集者の関口君」は書き下ろし。

いしいしんじ著

ぶらんこ乗り

ぶらんこが得意な、声を失った男の子。動物と話ができる、作り話の天才。もういない、私の弟。古びたノートに残された真実の物語。

いしいしんじ著

麦ふみクーツェ

坪田譲治文学賞受賞

音楽にとりつかれた祖父と素数にとりつかれた父。少年の人生のでたらめな悲喜劇を貫く圧倒的祝福の音楽、そして麦ふみの音。

いしいしんじ著

トリツカレ男

いろんなものに、どうしようもなくとりつかれてしまうジュゼッペが、無口な少女に恋をした。ピュアでまぶしいラブストーリー。

いしいしんじ著

東京夜話

愛と沈黙、真実とホラに彩られた東京の夜。下北沢、谷中、神保町、田町、銀座……18の街を舞台にした、幻のデビュー短篇集！

いしいしんじ作
植田　真　絵

絵描きの植田さん

その瞬間、世界が色つきになった──。白い森のなかに互いをさがす、絵描きと少女。植田真の絵とともに贈る奇跡のような物語。

いしいしんじ著

ポーの話

あまたの橋が架かる町。眠るように流れる泥の川。五百年ぶりの大雨は、少年ポーをどこへ運ぶのか。激しく胸をゆすぶる傑作長篇。

いしいしんじ著　いしいしんじのごはん日記

住みなれた浅草から、港町・三崎へ。うまい魚。ゆかいな人たち。海のみえる部屋での執筆の日々。人気のネット連載ついに文庫化！

いしいしんじ著　三崎日和
―いしいしんじのごはん日記2―

三崎は夕暮れの似合う町。朝から書いて、夜は音楽をかけ、窓を開けはなし、酒をのんでいた。人気のネット連載、待望の第二弾！

いしいしんじ著　アルプスと猫
―いしいしんじのごはん日記3―

アルプスをのぞむ松本での新しい暮らし。夫婦のもとにやってきた待望の「猫ちゃん」と、突然の別れ。待望の「ごはん日記」第三弾！

伊丹十三著　ヨーロッパ退屈日記

この人が「随筆」を「エッセイ」に変えた。本書を読まずしてエッセイを語るなかれ。一九六五年、衝撃のデビュー作、待望の復刊！

伊丹十三著　女たちよ！

真っ当な大人になるにはどうしたらいいの？マッチの点け方から恋愛術まで、正しく、美しく、実用的な答えは、この名著のなかに。

伊丹十三著　再び女たちよ！

恋愛から、礼儀作法まで。切なく愉しい人生の諸問題。肩ひじ張らぬ洒落た態度があなたの気を楽にする。再読三読の傑作エッセイ。

雪屋《ゆきや》のロッスさん

新潮文庫　い-76-10

平成二十三年一月一日発行

著者　いしいしんじ

発行者　佐藤隆信

発行所　株式会社　新潮社

郵便番号　一六二―八七一一

東京都新宿区矢来町七一

電話　編集部(〇三)三二六六―五四四〇

読者係(〇三)三二六六―五一一一

http://www.shinchosha.co.jp

価格はカバーに表示してあります。

乱丁・落丁本は、ご面倒ですが小社読者係宛ご送付ください。送料小社負担にてお取替えいたします。

印刷・二光印刷株式会社　製本・加藤製本株式会社

ISBN978-4-10-106930-2 C0193